生의 숱한 날, 나와 함께 해준 당신의 노래

이소라를 좋아하세요?

어떤,
소라

Play List Ⓐ

Play List Ⓑ

난 행복해, 1집 <이소라 vol. 1> track 3

[KBS 가요톱10] 1995년 12월 둘째 주 1위

그때의 나는 적어도 배부르고 등이 따뜻한 것만으로는 '행복'을 느끼기 어렵다는 사실을 자각할 만한 나이가 되었다. 행복의 메커니즘이야말로 복잡한 회로로 구성되었다는 것을, 들으면 들을수록 나른하다고밖에 설명이 안 되는 '누군가'의 노래, '난 행복해'의 가사를 음미하며 이해하게 되었다. 14살, 나는 격랑의 파도를 지나가는 한 마리의 돛단배 같은 사춘기 소녀에 불과했다. 그렇기에 '행복해'를 문장 그대로 행복하게 표현해내지 못하는 성별 불문 가수의 창법에 비릿한 동병상련의 감정을 느꼈다. 행복하다고 말하지만, 전적으로 행복하지 못한 사람의 내면이 고스란히 나를 닮은 것만 같아서였다.

프롤로그

미지의 주파수, 처음 듣는 유형의 목소리

- 소니 워크맨과 '난 행복해'

라디오였다. 처음 그녀의 노래를 듣게 된 것은.

부모님이 사주신 -사용 명목은 영어듣기 평가나 굿모닝팝스[1]를 듣기 위해서였지만, 대부분은 가수 故 신해철과 이승철의 앨범을 듣는데 사용된- 소니 워크맨이 첫째 언니를 지나, 둘째 언니를 거쳐, '라디오' 빼고는 모든 기능이 정지된 상태로 내 손에 들어왔을 때였다.

한눈에 봐도 낡아빠진, 그야말로 고물 워크맨의 재생 버튼을 누르자 끼릭끼릭 기분 나쁜 소리만 날뿐이었다. 테이프조차 재생되지 않는 워크맨을 보며, 내가 할 수 있는 일이란 고작해야 상판의 안테나를 힘껏 끌어올려 이리저리 움직여보는 일이 전부였다. 적

1 영어강사이자 저술가인 오성식이 1990년부터 2000년까지 10년 간 KBS FM에서 진행했던 시기를 일컫는다. 당시 출퇴근을 하는 직장인을 비롯해 중/고등학교 학생을 중심으로 선풍적인 인기를 끌었다.

정 주파수를 찾아 헤매는 것만이 회생 불가능한 워크맨의 생명을 몇 개월이라도 연장하는 일처럼 여겨져 내 마음은 더욱 절박했다. 서글픈 일은 언제나 '그' 지경에 이르러서야, 나는 (헌) 물건의 (새) 주인이 될 수 있었다는 것이다. 이를테면 FM과 AM 기능만 남은 고물 소니 워크맨 같은.

*

나는 1남 3녀 중 셋째로 태어났다.

문화의 불모지나 다름없던 경상북도의 한 시골 농가 마을에서 내리 딸만 낳다가 귀한 장손을 얻은 집안의 셋째 딸로 태어나, 1990년대를 단발머리 10대로 보냈다. 그 시절 언니 오빠들이 대학을 갈 때, 입학 등록금의 재정적 밑천이 되어준 마구간의 황소 한 마리보다 내 존재가 미미하다고 여겨졌던 환경 속에서 성장해 본 사람이라면 안다. 아무리 재고 따져도, 집안 내 서열은 별 볼일이 없다는 것.

그중에서도 새 물건의 '첫' 주인이 되기는 하늘의 별을 따는 것만큼이나 어려웠다. 크게는 옷, 신발, 가방에서부터 작게는 볼펜 한 자루, 작은 리본 핀 하나까지도. 어릴 때부터 물려 입거나 돌려쓰거나 아껴 써야만 하는 상황이 당연시되어 자라서일까?

그 시절의 나는 사소한 물건 하나에도 당당하게 제 소유권을 주장하지 못했다. 새것을 갖고 싶다는 욕망은 번번이 치밀하고 견고한 거절의 벽에 부딪쳤으니까. 특히 엄마가 소처럼 큰 눈을 끔뻑거리며 네가 원하는 것을 해줄 수 없다고 말할 때면 나의 가슴 한 자락은 쿠쿠다스처럼 바스스 부서지는 것만 같았다.

돌고 돌아 내 것이라고 당당히 말할 수 있는 워크맨을 갖게 되었으니, 그 기쁨은 말로 다 할 수 없었다. 그래서 워크맨의 유일무이한 기능인 라디오를 청취하는 데 열을 올렸다. FM과 AM의 차이도 제대로 파악하지 못했던 어린 날의 나는, 한 마리의 고독한 하이에나처럼 미지의 주파수를 찾아 헤매길 반복했다.

그러던 어느 날, FM의 한 채널에서 남자인지, 여자인지 애매모호한 음색을 가진 가수의 노래를 듣게 됐다. 지지직거리는 전파음 너머에서 들려오는 아련한 노랫말(당시에는 '아련함'이라는 단어조차 몰랐던), 1995년 중학교 1학년 때의 일이다. 가수의 발음이 부정확한 탓인지, 주파수를 잘못 맞춘 탓인지, 흘러나오는 노래만으로는 가수의 성별을 가늠하기 어려웠다. 그런데 그 혹은 그녀는 불투명한 음색 사이로 자꾸만 자신이 행복하다고 말하는 것이 아닌가. 난생처음 '행복'을 저렇게 발음하는 사람도 다 있네, 싶었다.

그때의 나는 적어도 배부르고 등이 따뜻한 것만으로는 '행복'을 느끼기 어렵다는 사실을 자각할 만한 나이가 되었다. 행복의 메커니즘이야말로 복잡한 회로로 구성되었다는 것을, 들으면 들을수록 나른하다고밖에 설명이 안 되는 '누군가'의 노래, '난 행복해'의 가사를 음미하며 이해하게 되었다. 14살, 나는 격랑의 파도를 지나가는 한 마리의 돛단배 같은 사춘기 소녀에 불과했다. 그렇기에 '행복해'를 문장 그대로 행복하게 표현해내지 못하는 성별 불문 가수의 창법에 비릿한 동병상련의 감정을 느꼈다. 행복하다고 말하지만, 전적으로 행복하지 못한 사람의 내면이 고스란히 나를 닮은 것만 같아서였다.

*

그렇게 아주 잠깐, 고물 워크맨을 통해 조우했던 그 노래를 잊고 살았다. 그러던 어느 날, 당시 인기리에 방송됐던 가요톱10[2]에서 해당 노래의 주인공을 극적으로 만나게 됐다. 사실 확정적으로 남자일 것이라고 생각했기에 브라운관에 등장한 가수의 모습을 보

2 KBS에서 방송되었던 인기 가요 순위 프로그램. 1981년 2월 10일 KBS 1TV에서 첫 방송, KBS2로 채널이 변경되어 1998년 2월 11일까지 방송되었다.

고 깜짝 놀랄 수밖에 없었다.

해당 노래의 주인공은 '이소라'라는 이름의 여가수였다. 당시의 그녀는 발목까지 내려오는 과하게 드레시한 옷차림, 숱을 많이 친 보랏빛 색깔에 가까운 헤어스타일, 적색 립스틱으로 짙게 칠한 입술, 두꺼운 속눈썹을 붙인 큰 눈을 수줍은 듯 꼭 감은 채로 노래를 부르고 있었다.

단언컨대, 그녀의 인상은 당시 여가수에 통상적으로 따라붙는 '청순하다', '예쁘다'와는 거리가 있었다. 오히려 '독특하다'는 인상이 지배적이었다. 또한 그녀가 '난 행복해'의 후렴구에서, 카메라 앵글을 고려하지 않는 듯 미간을 사정없이 일그러뜨렸기에, 무대 위에서 노래를 부르는 일을 상당히 힘겨워하고 있다는 인상을 받았다. 그래서일까. TV 앞에 옹송그린 채 앉아 노래를 듣는 내내 저런 가수라면 1집만 내고 홀연 가수 생활을 그만둘지도 모르겠다는 쓸데없는 추측을 했다. 그러니 데뷔 앨범이 발매와 동시에 100만 장이 넘게 팔렸다는 사실은, 앨범 자체의 뛰어난 완성도를 떠나 '이소라'라는 개인을 봤을 때 아직도 미스터리하게 느껴지는 일 중의 하나다.

그날, 진실의 미간까지 동원하며 집중해서 관찰했던 '이소라'라는 뮤지션은 이전에 내가 보아왔던 가수의 스타일과는 사뭇 그 분위기가 달랐다. 일단 노랫말부터 상당히 개인적이라는 인상이 강했다. 그녀가 노래를 부를 때면 널따란 무대는 아주 작아져, 자물쇠를 채워 서랍 속에 꽁꽁 숨겨둔 일기장의 한 페이지로 변해버리는 듯했다.

당시 대부분의 대중가수들이 어떤 퍼포먼스를 펼쳤나? 열을 맞추어 춤을 추거나 무대를 휘젓고 다니며 무대라는 공간을 스케치북처럼 소비하는 경우가 많았다. 그러나 그녀는 반대의 행보, 즉 움직임을 최소화할 수밖에 없는 머메이드 풍의 드레스를 입고 자신의 일기장 속 이야기를 들려주듯 청자들의 마음을 철저히 더 내밀한 차원으로 이끌어갔다. 보편적인 사랑 방식을 논하는 '대중가요'가 판을 치는 세상에, 개인의 내면에 주목한 '개인가요'라는 자기만의 장르를 새롭게 개척한 선구자적 인물처럼 보였다.

무엇보다 그것을 가능케 한 것은 그녀의 '목소리'였다. 처음 듣는 유형이었다. 독특하다고 밖에 설명이 안 되는 그녀의 목소리는 들을수록 신비롭게 다가왔다. 그리고 깨달았다. 1집 앨범 〈이소라 vol.1〉에 수록된 그녀의 노래는 내가 그토록 찾아 헤맨 미지의 주파수였음을. 그 주파수의 자장 안에 머물게 될 것임을. 그리고 그녀가 1집 가수로 머물지 않고 오래오래 가수 생활을 이어가주길 바랐다.

*

그날로부터 25년이 쏜살같이 지났다. 그리고 이소라는 2020년 12월 기준 〈그녀 풍의 9집〉(2016) 앨범까지 낸 나이도, 활동기간도 딱 그만큼인 중견가수가 되었다. 그동안 나는 좋아하는 뮤지션의 맨 앞줄에 이소라를 (투명하게) 세워두었다. 그 사이사이 목록에 짧은 시간 머물렀다 사라져간 가수들은 많았지만 이소라는 언제나 그곳에, 그날의 무대 위 그 모습 그대로 남아 있다.

그 오랜 시간을 뭐라고 설명할 수 있을까? 나는 여전히 무언가를 제대로 욕망하는 일에 서투른 어른으로 성장했다. 매 순간 누군가를/무언가를 좋아한다고 선뜻 말하기 어려웠던 세월이 지난 지금, 이제 입안에만 맴돌 듯 주저하기만 했던 단 한 명의 가수를 호명하고자 한다.

인생에 숱한 날들이 있었다.

그중에서도
사람들 속에서 나 자신이 가장 지질해 보였던 날,
거울 속에 비친 내 얼굴이 가장 못생겨 보였던 날,

그런 날이면,
어김없이 귓가에 울려 퍼지던 노래가 있었다.

당신의 노래가 없었다면
나는 한 줌의 먼지로 사라져버렸을지도 모른다.

이곳, 여기,
이렇게 두 발을 딛고 서있을 수 있는 건,
생의 숱한 날,
나와 함께 해준,
당신 노래 덕분이었다.

이것은 이소라에 대한 글이다.

이것은 모델 이소라가 아닌 '가수 이소라'에 대한 글이다.

이것은 이소라의 노래와 한 시절을 건너온 우리들의 이야기다.

제발, 4집 〈꽃〉 track 1

〈이소라의 프로포즈〉 2001년 2월 24일 방송

무대 뒤로 사라져 감정을 추스른 듯했던 이소라는 잠시 뒤 방청객 앞에 다시금 섰다. 노래를 시작했지만 처음보다 더 크게 울먹거렸다. 그러고는 "어떡해. 못하겠다. 어떡하지"라며 연거푸 당황하는 모습을 보였다. 결국 무대는 연이어 두 번이나 중단됐고, 끝이라고 생각했던 세 번째 무대에서 간신히 노래를 끝마쳤다. 그리고 이 모습은 그대로 방송에 공개됐다. 그리고 이 일화를 통해 많은 시청자들이 이소라의 눈물에 감동받고 그녀의 감수성에 극찬을 보냈다는 기사가 나기도 했다.

01. 사랑하지 않을 도리가 있을까?
- 〈이소라의 프로포즈〉와 '제발'

그 시절 〈가요톱10〉은 내가 가장 좋아하는 가수가 나를 비롯한 대중(대중이라고 해봤자 같은 반 친구들)에게 얼마큼 사랑받고 있는지를 판가름하는 가늠자와 같았다. 지금은 멜론, 벅스, 플로우, 바이브, 지니와 같은 음원 사이트를 통해 좋아하는 가수의 음원 순위를 실시간으로 확인할 수 있지만 당시에는 그런 시스템이 구축되지 못했다. 그래서 일주일에 한 번, 음반 판매량과 TV와 라디오 방송 횟수, 관객참여를 합산해 종합 순위가 정해지는 방송 형식은 수요일 저녁 브라운관 앞에 붙박이처럼 붙어 있게 만드는 마력을 뿜어냈다.

차트에 새롭게 진입한 가수의 신곡에서, 최하위권에서 중위권 그리고 10위권 내로 가파르게 순위가 상승하며 드라마틱한 성과를 거두고 있는 가수의 노래를 도장 깨듯 한 곡씩 듣다 보면, 풀리지 않는 인생의 매듭도 스르륵 풀릴 것만 같은 희망이 생겼다.

그뿐인가. 1위 후보곡 경연이 끝나고, 그 주의 1, 2위 순위가 발표되는 순간은 또 어떤가. 가자미눈을 뜨고 중간, 기말고사 성적표를 펼쳐보는 일만큼이나 심장이 쫄깃해지곤 했다. 그러다 내가 좋아하는 가수가 1위를 하지 못하면, 방송사에 깊은 배신감을 느끼는 한 편, 외계인이 방송국에 침공해 1위 순위를 뒤바꾸었다는 음모론을 제기하느라 밤잠을 설치곤 했다.

*

〈가요톱10〉의 순위에 목을 매기 시작한 건, '보이지 않는 사랑'의 신승훈, '모두 잠든 후에'의 김원준, '여름 안에서'의 듀스에게 잠시 마음을 내주었던 시간을 지나 '전사의 후예'로 혜성처럼 등장한 HOT의 데뷔와 함께였다. 그 시절 경상도 깡시골 소녀의 마음에도 90년대 뉴 키즈 온 더 블록[1]이 재림한 듯, 강력한 퍼포먼스를 펼치는 다섯 오빠들의 등장은 파격적으로 다가왔다.

HOT가 부른 '캔디', '행복,' 'We are the future'를 듣고 있노

1 New Kids on the Block 또는 줄여서 NKOTB은 1980년대 말에서 1990년대 초 미국에서 큰 인기를 누렸던 보이 밴드이다. 1992년 2월 17일, 내한 당시 공연 시작 30분 만에 수많은 관객이 무대로 몰리면서 수십 명이 다쳤고, 그중 여고생 한 명이 결국 사망하는 안타까운 일이 있었다.

라면, 돌덩이를 얹은 듯 가슴이 묵직했던 사춘기 소녀의 마음이 새털처럼 가벼워지곤 했다. 그러고 보니 중학교 2학년 때 교환편지를 주고받았던 남학생에게 크리스마스 선물로 받은 앙고라 재질의 벙어리장갑도 HOT 멤버를 상징하는 컬러풀한 아이템이 깡시골 시내 아트박스 판매대까지 점령한 덕분이었다. 하지만 그 남학생과의 관계는 고입을 앞둔 중 3이 시작되면서부터 차츰 시들시들해졌다.

그 시절 본격적으로 사춘기를 앓았다. 외모에 대한 불만이 극에 달했는데 특히 이마의 절반을 잠식한 화농성 여드름, 시력 때문에 날이 갈수록 두꺼워지는 안경테, 그 속의 밋밋한 홑꺼풀 눈, 비가 오면 심해지는 반 곱슬 머리카락도 전부 다 마음에 들지 않았다. 고백하건대 이때만큼 인생의 모든 것이 마음에 들지 않았던 시기는 없었다. 그 마음을 조제 마우루 지 바스콘셀루스가 쓴《나의 라임오렌지나무》속 감수성 풍부한 주인공 '제제'의 이름을 딴 일기장 속에 심상하게 적어 내려갔던 것은, 그때의 마음이 비바람 몰아치는 폭풍우 속을 지나가고 있었기 때문이다.

토크 콘서트를 표방한 프로그램의 전신으로 〈이문세쇼〉[2]가 있었다고는 하나, 내겐 그 프로그램에 대한 기억이 거의 남아 있질

2 1996년에 KBS2 TV에서 방영된 토크형 콘서트 프로그램으로 가수 이문세가 진행했다.

않다. 〈별이 빛나는 밤에〉 제14대 별밤지기로서의 이문세에 대한 기억도 그렇다. 이후에는 윤도현의 〈러브레터〉[3]가 있었고, 현재는 〈유희열의 스케치북〉이 그 바통을 이어받아 장기 방송되고 있지만, 초창기 〈이소라의 프로포즈〉에 걸던 기대만큼은 아니었다.

당시 신인에 가까웠던 이소라가, 공중파 토크쇼에 최적화된 언변을 가졌는지조차 증명되지 않은 여성 뮤지션이 타이트롤을 거머쥐었다는 사실은 그때나 지금이나 시사한 바가 크다. 왜냐하면 〈이소라의 프로포즈〉 이후, 2000년대 이후에는 공중파에서 여성 뮤지션을 메인으로 한 음악 프로그램이 거의 전무했던 탓이다.[4]

*

1993년에 '낯선사람들'[5]로 데뷔한 이소라는 독보적인 음색과 가창력으로 당시 인기가수이자 작곡가였던 가수 김현철과 김광진의 눈에 띄었다. 데뷔 후 가수로서의 활동보다는 CM송을 부르며

---

3 2002년부터 2008년까지 KBS2 TV에서 방영된 토크형 콘서트 프로그램으로 가수 윤도현 진행했다.

4 SBS에서 방영된 <김정은의 초콜릿>, KBS2에서 방영된 <이하나의 페퍼민트>가 있었지만, 그들의 본업은 뮤지션이 아닌 배우이므로 생략하겠다.

5 혼성 5인조 그룹으로, 1993년부터 음악 활동을 시작했다. 1집 앨범 발매 당시, 보컬 파트를 담당했던 멤버 중 한 명이 이소라였다.

용돈벌이를 했던[6] 이소라는 두 뮤지션과 함께 작업한 1집 〈이소라 vol.1〉의 타이틀곡인 '난 행복해'로 성공적인 솔로 데뷔를 시작으로 가요톱10에서 3주 연속 1위를 차지하며 일약 스타덤에 올랐다.

아마 그맘때쯤이었을 것이다. 언니들에게 물려받은 유일무이한 소니 워크맨을 통해 이소라의 노래를 접하게 된 것은. 이슥한 밤에 라디오를 틀면 그녀의 노래는 잠 못 드는 밤, 주로 실연의 상처에 울먹이는 애청자의 신청곡으로 곧잘 흘러나오곤 했다.

〈이소라의 프로포즈〉는 모든 우려를 불식하고 1996년 가을에 첫 방송을 탔다. 그녀가 1995년에 '난 행복해'로 주목을 받기 시작한 지 1년쯤 지났을 무렵이었다. 그렇게 〈가요톱10〉이라는 공중파 프로그램을 통해 자신의 존재를 드러내기 시작한 그녀는 심야 시간대, 토크 콘서트의 MC 자리를 꿰차며 서서히 '이소라'라는 이름을 대중에게 각인시켜 나갔다. 그리고 6년 후인 2002년 봄에 종영하기까지 '이소라'라는 이름을, 더 나아가 '이소라'는 하나의 콘텐츠로 가슴속에 서서히 안착시켜나갔다. 그녀의 노래는 서쪽하늘을 물들이는 노을처럼, 육교에 내려앉은 땅거미처럼, 내 마음속에 찬찬히 그늘을 드리우듯 가라앉았다.

---

6 유튜브로 최근 리마스터링된 〈이소라의 프로포즈〉 1회 차를 보면, 1집을 발매하기 전에 겪었던 일화가 나온다.

*

〈이소라의 프로포즈〉는 매주 토요일 밤 12시가 넘는 시간에 방송했다. 그 시대, 사십 대의 젊은 부모님은 고된 농사일로 초저녁이면 초주검이 되어 주무시는 날이 많았기 때문에 네 남매의 취침 시간을 간섭하는 일은 거의 없었다. 중학생이 시청하기에는 너무 늦은 시간대였고, 그리하여 프로그램을 매주 챙겨보는 일 역시 녹록지 않았지만, 그래도 손쉽게 프로그램을 시청할 수 있었던 이유는 바로 (지금은 돌아가시고 없는) 할머니와 함께 방을 썼기에 가능했다.

대학교 입학 전까지, 중·고등학교 내내 나의 오랜 룸메이트였던 할머니는, 나와는 반대로 새벽잠이 없고 밤잠은 많은 편이어서 저녁 이후나 밤늦은 시간대의 TV는 거의 내 차지였다. 그 시절, 밤늦게까지 이어지는 손녀의 TV 시청이 퍽 마음에 들지 않았을 수도 있었겠으나, 할머니는 학창 시절 내내 단 한 번도 내게 공부를 강요하거나, TV를 늦게까지 시청하는 일로 나무란 적이 없었다. 그러나 할머니의 취침 시간을 방해하고 싶지 않았던 탓에 마음껏 볼륨을 높이고 TV 시청을 할 수 없었다. 할머니의 방에 있던 TV는 브라운관이 볼록 튀어나온 S전자 제품이었는데, 크기가 작은 데다 화질이 심하게 떨어져 노래 한 곡을 제대로 듣기 위해 TV를 볼라치면 애가 닳아 미칠 지경이었다.

성적은 당연히 나빴다. 중학교 1학년 중하위권에 머물렀던 성적을 2, 3학년 때는 중위권으로 상향시키기 위해 적극적으로 노력했다. 그 결과, 반에서 중상위권의 성적을 유지하게 됐고 3학년 때는 학급 실장을 맡아 1년 동안 학교 안팎에서 모범생 티를 제법 내기도 했다. 하지만 공부보다 재미있어 했던 건, 좋아하는 취미 활동을 통해 개인의 취향과 서사를 넓혀가는 일이었다.

학교에서는 방과 후 모둠 활동과, 국어과 교과과정을 연계해 개인 문집을 꾸미는 일을 권장했다. 문집은 좋아하는 시를 그림과 함께 수록하거나, 친한 친구에게 일기 혹은 편지를 쓰거나, 감명 깊게 읽은 책의 독후감을 기록해두는 용도로 활용했다. 그렇게 완성된 문집은 가을 학예회 때 전시회라는 이름으로 전교생에게 공개됐기에, 그 시절 여학생, 남학생 할 것 없이 문집을 꾸미는 데 공을 들였다. 나 역시 학교 내에서는 사춘기 소녀 특유의 감성을 담아낸 개인 문집 꾸미기를 통해, 학교 밖에서는 심야방송을 시청하거나 라디오를 청취하면서 나의 호불호를 잔잔하게 가늠했다.

그 시절, 개인 문집에 종종 등장했던 인물이 바로 이소라였다.

이소라의 노래는 한 편의 시와 같았다. 또래 친구들이 윤동주의 '서시'나 김소월의 '진달래꽃'을 필사할 때, 나는 이소라의 '처음 느낌 그대로'를 베껴 쓰면서 내 안에 차오르는 '알 수 없음'의 감정을 찬찬히 희석시켜갔다.

*

생각해보면 줄곧 애청자라고 자부했던 〈이소라의 프로포즈〉에서 기억나는 장면은 단 하나 밖에 없다. 〈이소라의 프로포즈〉가 끝을 향해 나아가고 있다는 사실을 어렴풋이 예감했던 어느 날의 일이었다. 첫 방송의 시작이 내 나이 16살 때의 일이었으니, 이후 4년의 시간이 어떻게 흘러갔나 싶을 정도로 쏜살같이 지나갔다. 그리고 스무 살이 되던 해인 2001년의 어느 날, 어느 밤 나는 홀연 서울 자취방에 남아 〈이소라의 프로포즈〉를 보게 됐다.

이소라에게 2000년도에 발매한 4집 앨범 〈꽃〉에 수록된 '제발'은, 그녀가 눈을 감고도 부를 수 있는 노래 중의 한 곡이었다. 그런데 그날, 그 방송에서 이소라는 가수이자 MC가 아닌, 일반인 이소라로 느껴졌다. 방송을 시청하는 내내 이소라의 감정 상태가 가득 차오른 물 잔처럼 위태로워 보였기 때문이다.

“얼마 전 남자친구와 이별했어요”와 같은 멘트를 심상하게 던질 때부터. “큰일 났어요. 저는 요즘 무언가를 자주 까먹어요. 어쩌죠?” 말끝에 대롱대롱 매달려 있는 불안이라는 물방울은 ‘제발’의 피아노 전주가 흘러나올 때 예견된 듯 터지고야 말았다. 자신의 감정을 주체하지 못한 사람의 망가진 표정이 시청자와 방청객에게 고스란히 전해졌다.

이소라는 여느 날과 다름없이 짙은 컬러로 메이크업을 했지만, 노래를 시작한 지 얼마 지나지 않아 그 속에 감춰둔 맨얼굴을 드러냈다. 그녀의 가면은 “안 되겠다”라는 말로 방청객에게 자신의 어쩔 수 없는 감정을 호소할 때, 중단된 노래와 함께 또 한 번 벗겨졌다. 방청객은 박수로 그녀를 (진심을 다해) 위로했지만, 필시 그들도 마음 한 편으로는 (나처럼) 어리둥절함을 감출 수 없었을 것이다.

무대 뒤로 사라져 감정을 추스른 듯했던 이소라는 잠시 뒤 방청객 앞에 다시금 섰다. 노래를 시작했지만 처음보다 더 크게 울먹거렸다. 그러고는 “어떡해. 못하겠다. 어떡하지”라며 연거푸 당황하는 모습을 보였다. 결국 무대는 연이어 두 번이나 중단됐고, 끝이라고 생각했던 세 번째 무대에서 간신히 노래를 끝마쳤다. 그리고 이 모습은 그대로 방송에 공개됐다. 그리고 이 일화를 통해 많은 시청자들이 이소라의 눈물에 감동받고 그녀의 감수성에 극찬을 보냈다는 기사가 나기도 했다.

*

그런데 나는 이 뚱딴지같은 상황에 격노하고야 말았다. 야밤에, TV를 끄고, 한참 잠을 이루지 못하고 뒤척였다. 이소라의 처신과는 별개로, 그날의 방송이 너무나 야만적이라는 생각에서였다. 그녀는 그 순간 정말 모든 것을 중단하고픈 마음이었을 것이다. 단순히 실연의 감정을 주체하지 못해서? 아니다. 그녀는 노래를 부르기 어려운 상황이었을 것이다. 노래를 멈추고 무대를 벗어나, 가수도 MC도 아닌 일반인 이소라로 돌아가고 싶었을 것이다.

그럼에도 불구하고 가수가 자신의 감정에 동요 없이 노래를 불러야 할 때, 더구나 그 감정이 극한으로 치달았을 때의 모습을 그런 식으로 소비할 수밖에 없었을까? 주체할 수 없는 마음 한 자락을, 그날 방송에 참여한 방청객만이 공유하는 하나의 해프닝으로 끝맺을 수는 없었을까?

지나친 비약일지 모르겠지만, 인간에겐 누군가의 슬픈 내면을 들여다보고 싶은, 그걸로 위안 받고 싶은 잔인하면서도 비정한 면모가 있다는 것을 깨달았다. 그날의 '제발'은 이소라의 컨디션과는 별개로 최고였지만 내 기준에서 이소라의 노래는 대부분 최고였다는 사실을 감안했을 때, 그녀가 자신의 감정을 추스를 시간을 조금이라도 주었더라면, 그날의 무대는 더욱 근사하게 마무리되었을 것이다.

그래서 아주 가끔 궁금해질 때가 있다. 무대 위로 거듭 끌려 나와 노래를 불러야 했을 이소라의 진짜 마음에 대해. 그날의 감정을 노래로 승화했던 '제발'의 무대는 PD가 의도했건 의도하지 않았건, 이소라의 컨디션이 좋았건 좋지 않았건 사실 여부를 떠나 〈이소라의 프로포즈〉 프로그램의 역사에서 레전드 무대로 두고두고 회자되고 있으므로.

그 무대 이후, 어쩔 수 없이, 그녀를 더욱 어여삐 여기는 마음으로 바라보게 되었다. 후에, 각종 미디어는 이소라의 눈물에 '빼어난 감수성'이라는 수사를 갖다 부쳤다. 나 역시 미디어의 시선에서 한 치도 벗어나지 못했다. 어찌할 수 없이 타인의 슬픔을 볼모로, 행복을 가늠하고 싶은 잔인한 면모가 있었으므로. 그리고 그날의 방송 이후, 그녀의 노래를 더욱더 사랑하게 됐다. 더 정확하게는 사랑하지 않을 도리가 없었다. 이소라를 떠올릴 때, 그날의 무대는 '이소라스럽다'가 어떤 것인지를 드러낼만한 가장 상징적인 사건이 되었으니까.

내 곁에서 떠나가지 말아요(원곡 : 빛과 소금)

3집 <슬픔과 분노에 관한> track 3

나는 또박또박 쓰인 편지를 읽다가 울컥했다. 큰언니의 넉넉한 마음 씀씀이가 고마웠고, 무엇보다 내 생애 최초로 누군가에게 받은 쌘삥의 전자기기였기에, 마치 아무것도 욕망하지 못했던 지난 모든 세월을 보상받는 기분이 들어서였다. 치밀하고 견고해 보였던 거절의 벽이, 어느 순간 활짝 문을 열어준 것만 같았다.

02. 모든 게 사라져도, 당신의 노래는 영원히

- YP-NEU[1]와 '내 곁에서 떠나가지 말아요'

대중가요 노랫말에도 단골로 등장했던 노스트라다무스[2]의 예언이 적중하지 않은 채 맞이한 2000년. IMF, 세기말이라는 암울한 단어를 껑충껑충 건너뛰다 보니 어영부영 고등학교 3학년이 되었다. 몇 번의 모의고사를 망친 후, 회색빛 먹구름이 잔뜩 낀 채로 생일을 맞았던 어느 가을날의 점심. 매점에서 딸기 우유를 사 마시고 돌아왔을 때, 누군가 어깨를 툭툭 두드리며 말을 걸어왔다. 평소 데면데면하게 지내는 반 아이 중 한 명으로, 궁금한 것은 절대 못 참는, 친밀함의 유무에 상관없이 질문하고 행동하는 녀석이었다.

---

1 1999년에 삼성전자가 세계 최소형으로 출시한 MP3. 명함 크기의 초소형(58×85×17mm), 초경량(64g, 건전지 제외)제품으로 당시 신세대 취향에 맞는 감각적 디자인, 기본 40MB의 메모리 용량으로 10곡 정도를 저장할 수 있게 고안되었다.

2 프랑스의 의사·점성가(1503~1566). 1555년에 간행된 일종의 예언서인 ≪제세기(諸世紀)≫에 수록된 예언이 많이 적중하여 주목을 끌었다. 그는 1999년에 인류가 멸망한다고 예언했다.

"야, 류예지. 택배 왔어, 택배. 책상 위 좀 확인해 봐."

지금은 이름도 얼굴도 제대로 기억나지 않는 -동그란 안경테와 오물거리는 입술만 생각나는- 친구의 채근에 떠밀리듯 자리로 돌아왔을 때, 책상 위에 얌전히 놓여 있는 택배 상자가 보였다.

당시에는 지금처럼 택배 배송이 보편화된 때가 아니어서, 목소리 큰 친구의 호들갑에 몇몇 반 아이들이 호기심 어린 눈길로 흘긋거렸지만, 모서리가 꾸깃꾸깃하게 접힌 허름한 상자 안에 무슨 대단한 물건이 있겠냐며 이내 관심 밖으로 멀어졌다.

나는 누군가의 주목을 받은 일에 도저히 서툰 아이였다. 그래서 박스 속 물건의 정체를 집에 가서 확인할까도 싶었지만, 그 친구가 친절하게 커터 칼까지 내밀었으므로, 그 자리에서 박스를 개봉할 수밖에 없었다.

택배 송장의 발신인에는 큰언니의 이름이 또박또박 적혀 있었다. 수신인인 내 이름 옆에 나를 상징하는 안경 쓴 단발머리 여자 캐릭터가 선물을 안고 밝게 웃는 모습이 그려진 걸로 보아, 상자 속에 기대해 봐도 좋을법한 물건이 들어 있을 것이라는 사실을 단번에 파악할 수 있었다. 하지만 무슨 물건이든 뚜껑을 열어보기 전에 설레발은 금물이었다.

*

그 시절, 큰언니는 학교로 자주 편지나 엽서를 보내왔다. 대부분 매월 전쟁처럼 치러지는 모의고사 때문에 너무 스트레스를 받지 말라는 내용이었다. "인생엔 모의고사보다 더 대단한 일이 많아. 그러니 좌절해선 안 돼"와 같은 말로 나를 안심시켰다가도 "그렇다고 시험을 대충 치라는 소리는 절대 아니야"와 같은 말로 근심을 안겨주었다. 그러다가 어느 날은 일을 하다가 허리를 크게 다쳐서 몇 년째 고생을 하고 있는 엄마를 잘 보살펴줬으면 하는 마음을 담은 편지를 보내와 나를 눈물짓게 했다. 하여간 뻔질나게 날아오던 언니의 편지는 좋은 의미로든 나쁜 의미로든 나를 긴장하게 만드는 이벤트 중의 하나였다.

꽁꽁 패킹되어 있던 박스를 개봉했을 때였다. 박스 속 물건을 확인하고 소리를 질러버릴 틈도 없이, 뒤에서 줄곧 언박싱 과정을 지켜보던 친구가 대신 소리를 질러버린 탓에, 나는 소리 한번 시원하게 내지르지 못한 채, 그야말로 상자 속 선물에 '깜짝' 놀라고 말았다.

*

큰언니는 내가 고3이 되던 해, S전자에 입사를 했다. 대학교 3학년, 한참 진로로 고민하던 언니는 IMF가 터진데 이어 엎친 데 덮친 격으로 엄마까지 허리를 다치는 바람에 쫓기듯 휴학계를 내고 본가로 내려왔다. 농사일을 돕겠다고 온 산천을 뛰어다니느라 얼굴이 새까매질 대로 새까매진 큰언니의 취업 소식에 온 집안이 그야말로 발칵 뒤집어졌다. 그 시절 자녀의 대기업 입사는 (지금도 그렇지만) 지방에서 서울로 자식 뒷바라지를 하던 부모들이 받을 수 있는 최고의 효도 상품 중 하나였다.

컴퓨터공학과를 전공한 큰언니는 가끔 중간, 기말 시험지에 짜라는 C언어 프로그래밍은 짜지 않고 교수님께 편지를 써서 제출하는 괴짜였다. 패러글라이딩 동아리에 가입해 방학이면 전국의 활공장을 돌며 새파란 허공에 몸을 던지기를 반복하던 큰언니가, 졸업 전 처음으로 이력서를 낸 대기업에 덜컥 합격을 한 것이다. 고등학생 눈에 비친 큰언니는 개천에서 용 났다는 표현을 이럴 때 쓴다는 걸 알게 해줬다. 지금은 언감생심 꿈도 못 꾸는 일이 되었지만 말이다.

최종 합격 통지를 받고 난 후 큰언니는 오이디푸스가 스핑크스와 겪었던 자신의 후일담을 이야기하듯 그날의 면접 썰을 풀었다. Y대, K대 학생들과 나란히 면접을 본 큰언니는 스핑크스가 낸 수수께끼처럼 무겁게 다가온 면접관의 마지막 질문에서 점수를 딴 것 같다고도 했다. 그렇다면, 면접장에서 들었던 마지막 질문은 무엇이었을까?

"지원자 세 분 모두 공통적으로 한 번씩의 휴학 경험이 있네요. 돌아가면서 휴학기간 동안 어떤 일을 했는지 말씀해 주시겠어요?"

큰언니를 중심으로 좌측에 앉아 있던 Y대를 나온 남자 지원자는 -표현에 의하면- 외모마저도 준수해 내내 면접관의 주목을 받은 사람이었다. 그는 면접관이 부담을 느끼지 않을 정도의 수준으로 적절한 영어를 섞어가며 자신의 어학연수 경험을 늘어놓았다고 했다. 마지막에는 이만하면 만족하시겠죠,라는 표정으로 대답을 마무리했다고 했던가? 그렇다면 우측에 앉은 K대 학생은? 그 사람은 졸업 전, 자신의 인턴 경험을 피력했다고 했다. 인턴 생활을 한 곳 역시 이름만 대면 알만한 회사였다나 뭐라나.

그럼, 큰언니는 뭐라고 대답했어?라고 물었을 때, 오히려 긴장감으로 바짝 마른 입술을 다신 쪽은 나였다. 심장이 얼마나 졸아들었을까 싶어서. 그러나 큰언니는 장난기 어린 표정으로 이렇게 답했다.

"다들 어학연수, 인턴 경험을 읊어대는데, 그 순간 쥐구멍이라도 있다면 들어가고 싶더라니까. 그런데 별수 있어? 있는 그대로를 말하는 정면승부를 택했지. 지난 1년 동안 휴학계 내고 부모님 농사일을 열심히 도와드렸다고 말이야. 아침 일찍 일어나서 부모님 따라다니며 수박 약도 치고, 수박 순도 따고, 수박이 열매를 맺고 팔리는 과정을 지켜보면서 돈의 중요성과 경제 흐름을 파악했다고 했지."

결론은 큰언니만이 유일하게 그 조에서 합격했다. 이는 우리 집안에 내려오는 스핑크스의 수수께끼 속 오이디푸스는 좀 오버인 듯하고, 대기업 합격 전설로 전해 내려오는 이야기 중 하나다.

각설하고, 그렇게 S전자에 입사한 큰언니가 입사 첫 해에 거금을 들여 선물한 물건의 정체는 그 해 막대한 비용의 광고로 마케팅을 했던 최신형 MP3, 브랜드명은 YP-NEU이었다.

*

당시 반에서 좀 산다고 하는 친구들이 있었다. 그 중소 도시에도 고액의 비밀 그룹 과외를 받으며 수능을 준비하는 친구들이 반에 한두 명은 있었고 그 아이들이 주로 플립형[3] 핸드폰에 CDP[4]를 세트로 들고 다니는 정도였으니, 개봉된 된 박스 속 S전자 로고가 또렷하게 찍힌 MP3는 가히 혁명적인 선물이었다. 박스 안에는 생일 카드와 함께 MP3의 작동법을 안내하는 조그만 가이드북이 들어 있었다.

큰언니는 생일 카드에 이렇게 썼다. '직원 할인가로 구매해서 시중 값보다는 저렴하게 샀어. 그래도 싸지는 않다. 부담 갖지 말고 친구들에게 마음껏 자랑하렴.' 당시에도 기본형 가격이 20만 원이 넘었으니, 큰언니가 꽤 많은 돈을 들여 생일 선물을 준비해준 것이나 다름없었다.

또박또박 쓰인 편지를 읽다가 울컥했다. 큰언니의 넉넉한 마음씀씀이가 고마웠고, 무엇보다 내 생애 최초로 누군가에게 받은 쌘삥[5]의 전자기기였기에, 마치 아무것도 욕망하지 못했던 지난 모든 세월을 보상받는 기분이 들어서였다. 치밀하고 견고해 보였던 거절의 벽이, 어느 순간 활짝 문을 열어준 것만 같았다.

두말할 필요도 없이 MP3의 황홀한 자태에 그만 넋을 잃고야 말았다. 당시, YP-NEU의 본체는 말할 것도 없고, 이어폰과 연결

3 액정 화면은 항상 노출되어 있고, 조작 버튼은 별도의 뚜껑에 덮여 있는 형태의 핸드폰

4 CD Player의 약자

5 '새것'을 일컫는 사투리

된 버튼 키가 유난히 유니크하고 고급스러웠다. 그래서 처음에는 전원 버튼을 켜고 끄는 일마저 부담스러웠다. 흠집이 나거나 고장이라도 나면 어쩌나 싶은 게 첫 번째 이유였고, 두 번째로는 너무 예뻐서 누가 훔쳐 가면 어쩌나 하는 괜한 걱정이 앞섰다. 그도 그럴 것이, 박스를 개봉한 후 반 친구의 절반 이상이 내 자리로 몰려와 MP3의 성능을 확인하고 싶어 했고, 누군가는 몸까지 배배 꼬아대면서 한 번만 들어볼 수 있겠느냐 통사정을 할 정도였으니, 지금 생각하면 그 불안이 충분히 이해될 만도 했다.

누군가는 언니가 있어서 좋겠다고 했고(정말 좋긴 하다. 예나 지금이나 여자에게 언니의 존재는 중요하다), 누군가는 대기업 다니는 언니가 있어서 좋겠다고 했다(맞다. 능력 있는 언니가 있다는 건 여러모로 좋은 일이다). 그리고 지금으로서는 상상할 수 없는 40MB의 저용량이었지만, 모두들 CD, 테이프 없이, 오롯이 음원 파일로만 음악을 들을 수 있는 MP3의 작동 원리에 환호성을 질렀다.

하지만 나는 모든 아이들의 관심을 간단하게 딴 데로 돌렸다. 큰언니에게 잘 받았다고 연락을 해줘야겠다며 MP3를 챙겨 교실을 빠져나왔다. 이어폰을 낀 채 문을 열고 나가면서 YP-NEU의 재생 버튼을 눌렀다. 본체 액정에서 드라마틱하게 불이 들어옴과 동시에, 첫 번째 트랙의 음악이 흘러나왔다. 좀 더 크게 들을 요량으로 버튼 키의 볼륨 버튼을 한 칸씩 한 칸씩 조심스레 올렸다. 버튼 키의 액정에는 수록된 음악의 제목과 가수 이름이 반짝거리는 불빛과 함께 찍혔다. 그 속에는 당시 내가 좋아하던 가수의 노래가 수록되어 있었다. 총 7곡이었고, 맨 첫 번째 리스트에 있던 곡이 다름 아닌 이소라의 노래, '내 곁에서 떠나가지 말아요'였다.

그날, 저장된 음원 파일을 한 곡 한 곡 정성을 다해 들었다. 야간자율학습 시간에도 공중에 붕 뜬 마음을 추스르느라 제대로 공부가 되지 않았다. 내 소유의 첫 물건이 생긴다는 것은 바로 이런 거구나, 그 감정을 고스란히 기억하고 싶었다. MP3에 저장된 음원의 음질이 얼마나 좋았는지는 이제는 잘 생각나지 않는다. 그러나 단 한 가지는 명확하게 기억한다.

*

교실을 빠져나온 나는 공중전화가 있는 1층 휴게실로 가지 않았다. 신입사원에 불과했던 큰언니가 업무 중에는 쉽사리 연락을 받을 수 없을 것이라 생각했으므로. 그저 본능이 이끄는 대로 걸음을 내디뎠다. 본관 복도를 따라 밖으로 나와 합창반이 노래 연습을 하고 있던 체육관 앞까지 내처 걸었다. 그러다 반 아이들이 한 명도 보이지 않는 교문 근처 벤치까지 와서야 우뚝 멈춰 섰다.

문득, 이 길로 학교를 빠져나가 학교 앞 시장 구석구석을 걷고 싶은 충동이 일었다. 혹은 시립도서관이면 어떨까. 그 뒤편의 소공원에서 노래를 들으며 저녁 내내 바람을 쐬면 좋겠다고 생각했지만, 발목이 묶인 고3은 과한 노동으로 무짠지처럼 절어버린 엄마의 얼굴을 떠올리며 교실로 돌아갔다.

하지만 그날만큼은 압박감을 간단히 벗어나게 해줄 해방구가 있었다. 한 손에 쏙 들어오는 산뜻한 그립감의 YP-NEU와 귓가를 흐뭇하게 물들이는 이소라의 음색이었다. 오후 수업 종이 울릴 때까지 음악을 들었다. 아무에게도 이 신문물과의 교류 시간을 방해받고 싶지 않았으므로, 그날만큼은 조금 이기적으로 행동했다.

저물어가는 가을, 이소라의 노래를 듣는 순간만큼은 수능이 얼마 남지 않았다는 사실도, 통 오를 기미가 보이지 않는 모의고사 점수도, 아픈 허리를 부여잡고 일하는 엄마의 얼굴도, 암담하고 불투명한 미래조차도 그리 중요치 않게 여겨졌다. 오래전, 미지의 주파수로 만난 그녀의 목소리가, 테이프도 CD도 아닌 MP3이라는 파일 형태로 수신되어 내게 전해지고 있다는 사실이 마냥 신기하게만 느껴졌으므로.

이후, 노래는 노래 자체로도 완벽해야 하지만, 그만큼 가수의 음색을 제대로 전달하는 도구의 역할도 못지않게 중요하다는 사실을 새삼 실감했다. 새것의 이어폰을 통과해 달팽이관에 울려 퍼지는 이소라의 노랫말은 거짓말을 조금 보태어 천 배는 감미로웠다.

*

절대적으로 "내 곁에서 떠나가지 말아요"라고 말하고 싶었던 그날의 느낌은 너무나 빨리 지나갔다. '그대가 내겐 전부였었는데'를 들으며 YP-NEU와의 물아일체를 경험했던 황홀경 역시도 마찬가지였다. MP3의 시대는 카세트테이프나 CDP의 시대보다 더 빨리 저물어갔다. 내가 보낸 YP-NEU와의 시간도 마찬가지였다. 대학에 들어가면서 성능이 보다 업그레이드된 핸드폰을 구입하고, 핸드폰을 통해 할 수 있는 것들이 더욱 많아지면서부터 낡고 닳은 YP-NEU를 챙겨가는 일은 극히 드물어졌다.

무엇보다 7곡만 넣기에는 나의 음악적 취향이 점점 더 다양해져만 갔다. 기본적으로 이소라 앨범의 전곡을 저장하기엔 YP-NEU의 용량은 턱없이 부족했다. 크기도 크다는 생각이 들었다. 대학교 때 구입한 당시 핸드폰이 손바닥보다 훨씬 작았고 YP-NEU

을 넘어선 신형 MP3가 지속적으로 보급되어 시장을 선점해나갔다. 성인 남자 엄지손가락만한 크기와 슬림한 디자인, 훨씬 더 많은 곡을 저장할 수 있는 기술력이 탑재된 상품들이 무한대로 쏟아져 나왔다.

그러다 보니 YP-NEU는 점점 더 천덕꾸러기가 되어갔다. 대학생이 되고 가방 속은 전공 책 한두 권이면 충분할 정도로 점점 더 얄팍해졌지만, 그 조그만 MP3 하나를 가방에 넣어 외출하는 일이 더욱 귀찮게 느껴지던 어느 날, 당시 고등학교 3학년이던 남동생에게 버튼 키의 칠이 거의 벗겨진 YP-NEU를 물려줬다. 언젠가 나에게 소니 워크맨을 물려주던 언니들처럼, 별다른 감정을 싣지 않은 채 말이다.

"가질래? 제법 쓸 만해."

남동생의 눈빛은 아주 잠시 흔들렸다. 'your turn'이라는 주문에 잠시 잠깐 마법에 걸린 것처럼. 하지만 우리 집안에서 나름 얼리어댑터라고 할 수 있던 남동생에게는 그 물건이 아무래도 성에 차지 않았던가 보았다. 1년도 채 쓰지 않고 서랍 속 먼지 구덩이 속으로 들어가 버린 YP-NEU은, 그렇게 오랜 세월의 두께를 솜이불처럼 덮고 자던 어느 날 대대적인 물건 정리와 함께 버려졌다.

많은 것들이 변해가고 사라지는 와중에도 음악은 고유하고 영원하다. 아직도 나는 이소라의 노래 중에서 무심히 변해가는 인간의 감정에 대해, 그것의 어찌할 수 없음을 인정하면서도, 여전히 변치 않은 감정 상태로 자신의 곁에서 머물러주기 바라는 마음을 담담히 노래하는 '내 곁에서 떠나가지 말아요'를 가장 좋아한다.

처음 느낌 그대로

1집 <이소라 vol. 1> track 2

“남다른 길을 가는 네게, 난 아무 말도 할 수 없었지”로 시작하는 ‘처음 느낌 그대로’를, 왜 하필이면 지금 이 타이밍에 부르고 지랄이냐는 뜨악한 표정으로 친구들은 나를 바라보았다. 하지만 한번 시작된 이상, 노래를 멈출 수는 없었다. “어제, 널 보았을 때 눈 돌리던 날 잊어줘” 그 부분을 생목으로 있는 힘껏 끌어올리느라 정신이 아득해져왔지만, 그 순간, 그것만이 내가 할 수 있는 답변의 전부인 것처럼 느껴졌다.

03. 벚꽃이 피고 지듯, 사랑도 그렇게 흘러가니까

- 노래방과 '처음 느낌 그대로'

"선배, 어디에요?"

대학교 2학년 봄, 그 시절 틈만 나면 연락을 해오던 남자 후배 한 명이 있었다. 그는 나보다 한 학번 아래였지만 알고 보니 재수를 해서 나이는 동갑이었다. 소문에 의하면 2월에 있었던 신입생 오리엔테이션에 참석을 하지 않고 바로 입학을 한 터라 동기들 모임에 쉽사리 어울리지 못하고 데면데면하게 구는 눈치였다. 그래서일까. 동기보다는 선배들 모임에 지속적으로 참여해 깍듯한 인사성을 드러냈고, 오히려 선배들 사이에서 붙임성이 좋은 아이로 입소문을 타고 있었다.

그와 나는 3월 초에 개강 총회에서 처음으로 안면을 텄다. 그날 신입생 환영회 겸 재학생 대면 인사가 계단식으로 된 대강의실에서 진행되었는데, 단체 인사 후 곧바로 뒤풀이가 진행되어 그의 이름이며 얼굴이 정확하게 기억에 남아 있지 않았다. 그러한 이유로, 처음에는 그의 존재를 제대로 인지하지 못한 채 어영부영 3월을 흘려보낸 상황이었다.

*

2학년 3월, 선배로서 신입생을 받는 과정은 설레면서도 못내 아쉬운 일이었다. 스물한 살의 나이로 신입생이라는 타이틀을 반납해야 하는 일부터가 그랬다. 그뿐인가. 고작 한 살 차이였는데, 스무 살 신입생들이 대관절 그렇게 풋풋하고 귀여워 보이는 이유는 무엇인가? 더구나 신입생들 중에는 예술 고등학교에서 온 매력적인 여학생들이 다수 포진되어 있어, 개강과 함께 그 아이들을 향한 소리 없는 아우성이 펼쳐지고 있었다. 학과 특성상 남자 재학생의 비중이 낮은 편이었기에, 그런 자리에서, 나를 특정하며 아는 체를 해오는 누군가가 생긴다는 건, 신호의 세기는 미약할지언정 '그린라이트'일지도 모른다는 일말의 기대를 품게 하는 일이었다.

스무 살, 1학년 1학기 동안 같은 과 동기 남학생을 향했던 짝사랑은 '널, 좋아했어, 하지만 이젠 아니야'라는 어불성설 같은 말로 새드 엔딩을 경험했고 연애의 '연'조차 시작하지 못한 데다 눈치코

치박치 세 박자까지 두루 갖추지 못한 내가 보기에도 후배의 잦은 연락은 '관심 있음'의 표현으로 해석되었다. 더구나 남의 연애에 감 놔라 배 놔라 하길 좋아하는 두 학번 위 선배가 후배의 행동을 눈여겨보고 슬쩍 떠본 한 마디를 흘린 후로 '썸'의 기류는 확실해졌다.

"아, 그 녀석이 절대 먼저 얘기하지 말라고 했는데…. 맞아. 너한테 관심 있다고 하더라고."

그때 그 말을 듣고 뭐라고 항변할 틈도 없이 말 그대로 홍당무가 되어버렸다. 싫지 않았지만, 그에 대한 감정이 헷갈렸던 것 같다. 3월, 꽃 피는 봄이었으므로. 벚꽃이 피고 지듯 감정은 쉽게 타올랐다가 이내 꺼져버릴 수도 있었으므로. 맺고 끊음이 확실한 걸 좋아하는 성격상, 나는 후배의 남자다운 한방을 기대하는 중이었다. 그렇기에 그날, 내 행방을 묻는 후배의 전화가 다른 날보다 더 특별하게 다가왔는지도 모르겠다.

*

학교 앞 노래방에서 동기들과 노래를 부르며 공강 시간을 보내고 있던 내게 먼저 연락을 해온 건, 정확하게 말하면 그 후배가 아니었다. 그와 맨날 붙어 다니던 다른 남자 후배였다. 당시에는 발신자 번호 서비스조차 없던 시절이라, 걸려오는 전화를 가리지 않고 받는 편이었지만(당시에는 보이스피싱 및 광고 전화는 거의 없었다), 전화를 받자마자 수화기 너머에서 제 동기와 실랑이를 벌이던 후배의 목소리를 듣고 확신할 수 있었다.

'음, 올 것이 왔군. 내 기꺼이 너의 한방을 받아주마.'

동기의 전화를 빼앗아 든 그가 숨을 깊이 고른 후, 한 마디를 던졌을 때는 나도 모르게 환호성을 지를 뻔했다. 하지만 마음이 이끄는 대로 감정을 표현을 하는 건 모름지기 프로의 자세가 아니었다. 나는 짐짓 모르는 척 행동했다. 혹여, 그 후배가 쑥스러워할까 싶어서, 한 발자국 더 내게 다가올 수 있도록.

"선배, 저 선배가 있는 곳으로 놀러 가도 돼요? 음, 밥 좀 사주세요."

"아, 그럴래? 여기가 어디냐면… 학교 앞 OO 노래방이야."

그때, 그 방에서 배경음악처럼 울려 퍼지던 노래가 에메랄드 캐슬의 '발걸음'이었는지, 김형중의 '좋은 사람'이었는지는 정확하게 기억나지 않는다. 그저 내가 있는 곳으로 한 걸음에 오겠다는 후배의 말 한마디를 들었을 뿐인데, 갑자기 암전이 된 듯 사방이 깜깜해지고 음소거가 된 듯 귓속이 멍해져버렸으니까.

얼마 지나지 않아 후배는 전화를 대신 걸어준 제 동기와 함께 노래방에 왔다. 문을 열고 인사를 나누자마자, 한 학번 위 선배랍시고 근엄한 표정을 지은 채 좌석을 선점하고 있던 친구들이 노래 한 곡 불러보라며 짓궂은 요청을 이어갔다. 그는 빼지 않고 제 동기와 함께 신나는 노래 한 곡으로 포문을 열더니, 이어 마이크를 잡았다. 지금도 분명히 기억한다. 마이크를 쥘 때까지는 소년처럼 쑥스러워하는 듯했지만, 자신이 선곡한 노래의 전주가 흘러나오기 시작하면서부터는 전혀 긴장하는 티가 나지 않았다는 걸.

통통 튀던 반주가 수그러들고, 차분한 멜로디가 노래방 사이키 조명 아래로 묵직하게 가라앉았다. 녀석이 선곡한 노래는 조장혁의 '중독된 사랑'이었다. "다시 너를 볼 수 있을까. 이렇게 너의 집까지 오고 만 거야"라는 부분에서 그만 머릿속이 새하얘졌다. 그도 그럴 것이 일단 차분하게 목을 가다듬은 후배의 노래 실력이 기대 이상이었고, 그 노래 한곡으로 봄날의 노래방 안에는 미묘한 기류가 아지랑이처럼 형성되고 있었으므로.

어쩌면 그때 '썸'의 주도권을 빼앗겼는지 모른다. 인정하고 싶지 않지만 인정할 수밖에 없는 한방을 맞고 얼떨떨해하는 사이, 후배의 노래는 끝났다. 감정을 제고할 틈도 없이 곧장 마이크는 내게로 넘어왔다.

"선배도 한 곡 불러주세요."

많고 많은 자리, 하필 내 옆자리를 꿰고 앉아 노래를 청하기에, 답가라도 불러달란 말인가 싶어, 새침하게 눈을 깔고 고개를 저을까도 싶었지만, 그런 상황에서 빼는 건 체질상 맞지 않았다. 그러나 내 눈을 피하지 않고 똑바로 응시하는 녀석의 시선을 요령껏 피하기란 어려웠다. 나는 생각보다 더 긴장하고 있었다.

머릿속으로는 그 시절 이십 대들이 좋아할 만한 여성 뮤지션인 박정현, 박기영 등의 노래 리스트가 지나갔지만, 그 상황에서 내가 부르고 싶은 운명의 노래는 단 한 곡이었다.

바로, 이소라의 '처음 느낌 그대로'였다.

전주의 시작과 함께 얼떨떨해하던 후배의 눈빛을 보며 어쩌면 선곡에 실패했는지도 모르겠다는 생각이 들었다. "사랑이 올까요. 또 오게 될까요. 그대 아니면 안 될 것 같은데(박정현, '사랑이 올까요'), "오직 너만을 생각한 밤이 있었어(박기영, '시작')", 풋풋한 사랑의 시작을 응원하는 많고 많은 노래 중에서, 나는 왜 하필이면 이소라의 노래를 떠올렸을까.

"남다른 길을 가는 네게, 난 아무 말도 할 수 없었지"로 시작하는 '처음 느낌 그대로'를, 왜 하필이면 지금 이 타이밍에 부르고 지랄이냐는 뜨악한 표정으로 친구들은 나를 바라보았다. 하지만 한 번 시작된 이상, 노래를 멈출 수는 없었다. "어제, 널 보았을 때 눈

돌리던 날 잊어줘" 그 부분을 생목으로 있는 힘껏 끌어올리느라 정신이 아득해져왔지만, 그 순간, 그것만이 내가 할 수 있는 답변의 전부인 것처럼 느껴졌다.

*

한낮의 노래방을 빠져나온 우리는 후배의 부탁대로 밥을 먹으러 갔다. 주머니 사정이 빈곤했기에 학생식당으로 그를 데려갔던 생각이 난다. 이후에 수업을 째고 낮술을 마시러 갔는지, 혹은 오후 수업을 듣기 위해 강의실로 돌아갔는지는 잘 기억이 나지 않는다. 그 시절의 애매모호했던 썸 페이지는, 1학기 학과 활동의 대미를 장식하는 문학기행에서 정확하게 2막으로 넘어갔다.

문학기행은 학생회가 주최가 되어 문학의 기반이 되는 도시와 유적지를 탐방하는 수업으로, 학과에서 치러지는 가장 큰 행사 중 하나였다. 벚꽃이 유독 아름답게 꽃피었던 그 해, 우리는 충청도 일대의 유적지와 관광지를 돌았다. 총 2박 3일의 문학기행 여정 중, 첫째 날 마지막 코스였던 해미읍성에서의 일정이 끝난 밤, 산 아래 펜션에서는 왁자하게 술판이 벌어졌다. 신입생, 재학생, 복학생 가리지 않고 뒤섞여 노래도 부르고 춤도 추며 봄밤은 이울어가고 있었다.

맥주 몇 모금에 금세 취한 나는, 후배의 손에 이끌려 숙소 밖 벤치로 나갔다. 아마 그때, 캄캄한 밤하늘에 별이 무진장 많이 떠 있었던 걸로 기억한다. 더할 수 없이 아름다운 봄밤이었지만, 후배와 이야기를 나눌수록 슬픔이 무럭무럭 차오를 뿐이었다. 완벽한 고백의 순간에조차 그는 아무 말도 하지 않았으니까.

깊어가는 봄밤, 나는 점점 더 깨달을 수밖에 없었다. 서글프지만 그의 감정은 '선배에게 관심 있다'에서 '선배를 좋아한다'로까지는 점프하지 않았음을. 물론, 내 편에서 너를 좋아하노라고 선수를 칠 수도 있었지만, 그 시절의 나는 그 한 마디를 내뱉을 수 있을 만큼의 용기가 없었다. 고백의 말을 과감하게 내뱉기엔 '짝사랑'을 끝내 '사랑'으로 발전시키지 못한 콤플렉스를 갖고 있었고, 나는 고작 남자에게 먼저 진심 어린 고백을 받고 싶은 스물한 살의 여자애일 뿐이었다.

봄밤은 아쉽게 저물었고, 이튿날 아침 충격적인 소식을 듣게 되었다. 그가 동기이자 3살 연상인 누나와 사귀기 시작했다는 말에 할 말을 잊고야 말았다. 언니는 학기 초 술자리에서 나와도 제법 친하게 말을 섞었던 사람으로, 애매모호하게 이어진 그 후배와의 썸의 기류를 인지하고 있었다. 그랬기에 관광버스 좌석에 나란히 앉아 있는 모습을 보는 순간, 내가 받은 충격은 상상 이상으로 컸다.

썸의 기류는 에너지일 뿐, 방향성을 가진 에너지가 누구의 마음으로 가서 자리를 잡고 뿌리를 내리게 될지는 누구도 예측할 수 없는 것이었다. 우리는 어렸고, 그래서 청춘이라 불리고 있었으므로.

*

신도림에 있는 백화점 내의 한 카페에서 그 후배를 만난 건, 그로부터 아주 오랜 시간이 흐른 후였다. 연상 누나와의 짧은 연애를 끝내고 곧장 군대에 갔다는 소식을 듣고, 군복무를 마친 그가 다시 복학을 해 학과 후배와 사귀고 있다는 소식이 알음알음 들려올 때쯤, 나는 이미 1년의 휴학을 끝낸 졸업반이었다. 졸업 후 곧장 사회생활을 시작했으니 그때는 후배에 대한 기억이 다소 흐릿해졌을 무렵이었다.

그는 두 테이블 건너편에 앉아 자신의 일행으로 짐작되는 사람들과 커피를 마시고 있었다. 그도 나를 알아본 건지 확신할 수 없었지만, 대화 틈틈이 흘긋 넘어오는 시선에서 어쩌면 알아봤을 지도 모르겠다는 생각이 들었다.

그의 얼굴은 거의 변하지 않았다. 오히려 마른 편에 가까웠던 체격이 훨씬 다부지게 변해 있어서 처음에는 긴가민가했다. 서른 언저리였으므로, 소년 같은 테는 많이 벗은 듯 보였다. 졸업 후 오랜 시간이 흘러서였을까. 과거의 감정은 풋, 하고 웃어넘길 정도의 해프닝으로 남아 있었다. 뜻하지 않은 만남에 알은 체를 하고 싶었지만, 달리 생각하면 그것만으로도 '충분하다'는 생각이 들었다.

그나마 안도할 수 있었던 건, 그날의 나는 예전과는 달리 멋있어 보였으므로. 주말이라 평소보다 더 캐주얼한 옷차림이긴 했지만, 열심히 운동을 하던 때라 가장 날씬하기도 했으므로. 체형에 꼭 맞는 리바이스 청바지에 흰색 티셔츠를 입고 있었고, 옅은 화장이 -예전의 네가 미처 알지 못했던-나의 숨은 매력을 부각하고 있다고 확신했으므로. 그리고 만족스럽지 않더라도 월급쟁이로서의 삶을 충실히 살아내고 있었으므로.

살다 보면 그런 날이 있지 않은가.

인생에 한 번씩은 내가 빛나 보인다고 여겨지는 순간이….

적정 시기에 후배를 만났으니 그만하면 됐다고. 스물한 살의 나는 "남다른 길은 가는 네게, 차마 아무 말도 하지 못했지"만 처음 느낌 그대로, 너를 희미한 옛 시절의 그림자로 기억하겠노라고.

Fortuneteller

6집 <눈썹달> track 9

그리고 얼마 지나지 않아, 가슴속 어딘가에 내재되어 있다고 생각했던 그 시절의 열정이 거짓말처럼 사라져버렸다는 사실을 알게 됐다. 4학년, 졸업, 사회생활을 시작하며 눈앞에 펼쳐진 미지의 시간을 응시하느라, 해답을 알 수 없는 질문 앞에 머리를 조아리는 사이, 청춘은 기별 없이 흘러갔다.

04. 실패 앞에서도 주눅 들지 않던 당신의 목소리
- 시인 최승자와 'Fortuneteller'

소도시에서 여고 시절을 보낸 나와 내 친구들, 그 시절 우리들이 즐겨 쓰던 말 중 하나는 "시내 가자"였다. 이 말은 '시내 중심에 있는 국제서림에서 문제집을 산 후, 중앙시장에서 떡볶이를 먹자'라는 뜻을 포함했다. 대학 시절까지도 굳건히 시내 중심가를 지키고 있던 국제서림은 이십 대가 끝나갈 무렵 그야말로 '감쪽같이' 사라졌다. 대학을 졸업하고, 고향에 내려가는 횟수가 눈에 띄게 줄어들면서부터 고향에 내려갔을 때 시내를 돌아다니거나, 시내의 카페에서 친구를 만나는 일은 거의 하지 않게 됐다. 하여, 그 시절 만남의 장소였던 국제서림이 언제 문을 닫았는지는 정확하게 기억나지 않는다.

이제와 새삼, 국제서림에 대한 이야기를 꺼내 든 이유는 무엇일까? 아마 서점이 문을 닫기 전 맨 마지막으로 구입한 책에 대해 말하고 싶어서일지도 모르겠다. 그 책은 바로 시인 최승자의 다섯 번째 시집 《연인들》이었다.

최승자의 시집을 구매한 건 우연한 일이었다. 2000년대 중반, 누군가 내게 반드시 최승자의 시를 읽어야 한다고 말을 해준 적이 없었으므로, 우연히 서점 가판대에서 발견한 그 시집을, 집으로 돌아가는 막차가 끊길 때까지 내내 읽다가, 그 시집을 도저히 그곳에 두고는 발길이 떨어지지 않아, 주머니 속 푼돈을 긁어모아 구입한 후 소중히 품에 안고 돌아왔던 기억이 난다. 그게 아마 대학교 2학년, 겨울방학이 끝나가던 무렵이었다.

*

3학년 1학기 즈음, 싸이월드라는 커뮤니티 사이트에 계정을 만들고, 미니홈피 서비스를 이용하기 시작했다. 그즈음 나를 비롯한 대한민국의 많은 사람들이 폭발적으로 사이트에 가입해, 계정마다 하나씩 자동적으로 발급되던 사이버상의 공간인 미니홈피의 주인이 되었다. 미니홈피를 운영하며 '클럽'으로 불리던 각종 커뮤니티 카페에 가입해 대내외적인 인지도를 쌓거나, 인맥 형성을 하는 일은 그 시절의 대중적인 온·오프라인 소통 방식이었다.

나는 싸이월드 내, 서너 개의 클럽에 가입해 외부 커뮤니티 활동을 하는 한 편, 개인적으로는 미니홈피 게시판을 이용해 글을 작성하는 일을 즐겼다. 그 시절에 쓴 대부분의 글은 일상을 소재로 한 에세이였지만, 이를테면 좋아하는 시의 구절이나 소설 속 문장을 업로드해 외부인들과 공유하고 소통하는 일을 좋아했다.

개강 전, 나는 《연인들》에 수록된 시, '흔들지 마'를 미니홈피 게시판에 게재했다. 그리고 미니홈피에서 일촌[1]을 맺은 학과 동기 몇이 그 시를 읽었던가 보았다. 그 시는 특히 최승자 시인을 모르던, 혹은 시인의 존재를 알아도 그의 시를 제대로 읽어본 적이 없던 여자 동기들에게 큰 반향을 일으켰다.

'흔들지 마.
사랑이라면 이젠 신물이 나려고 한다.'

'흔들지 마'의 첫 문장을 읽고, 단단한 바위처럼 굳어 있던 머릿속으로 차가운 낙숫물이 스며든 것 같은 충격을 받았다. 그래서 최승자라는 시인에 대해 좀 더 알아야겠다고 생각했다. 《연인들》을

---

1 커뮤니티 기반의 온라인 사이트인 싸이월드에서는 서로 관심 있는 대상들이 관계를 맺는 방식을 일컬어 '일촌 맺다'라고 칭했으며, 그렇게 맺어진 대상들은 서로를 '일촌'이라고 불렀다.

시작으로, 최승자의 전작들을 한 권씩 탐독해나갔다. 《이 時代의 사랑》, 《즐거운 日記》, 《기억의 집》, 《내 무덤, 푸르고》로 이어지는 대장정의 시간이었다.

변심한 연인의 일그러진 눈을 "셀로판지 구겨지는 소리"로 "너에게 찔리면 지렁이처럼 기어서라도 가겠다"고 표현한 시 '청파동을 기억하는가', 관계에 대한 정의를 "모든 것은 콘크리트처럼 구체적이고 모든 것은 콘크리트 벽이다"에서 "비유가 아니라 주먹이며, 주먹의 바스러짐이 있을 뿐"이라고 표현한 시 '그리하여 어느 날, 사랑이여' 속 최승자 식 에두름 없는 직구 화법에 깊이 매료되었다. 나는 이제껏 내게 영향을 끼친 거절의 벽, 실패한 관계 및 사랑에 '최승자'라는 고유명사를 붙이겠다고 거칠게 다짐하기도 했다.

*

그즈음 진심으로 시를 잘 쓰고 싶다는(정확히는 최승자처럼 시를 쓰고 싶다는), 유명한 시인이 되어 '詩'에 순교하고 싶다는 몹쓸 문학병에 걸렸다. 시에 대해 자못 비장한 연정을 품은 것은, 그해 봄, 학과에서 주최하는 문학상에서 시 부문에 당선되고부터였지만, 가장 큰 영향을 미친 일은 그 해 2학기에 개설된 시인 최승자 수업의 영향이 컸다.

그녀의 시를 좋아했던 나와 몇몇 동기들은 졸업 전, 최승자의 수업을 들을 수 있게 됐다는 소식에 환호성을 질렀다. 하지만 막상 뚜껑이 열린 최승자의 수업은 생각보다 수강률이 저조했다. 나는 더 많은 동기와 후배들이 시인 최승자를 알기를 바랐지만, 그때만 해도 8~90년대 왕성히 활동하고 인기를 끌어온 시인 최승자에 대한 파급력이 많이 약해져 있었다. 결과적으로, 수업은 강의 신청 학생 수로만 따지면 폐강을 고려할 수밖에 없었지만, 학과 교수님들이 강력하게 개설 의지를 피력해 간신히 수업이 진행되었다. 어찌 보면 그때, 교수님들이 밀어붙이지 않았다면, 나는 시인 최승자를 강단에서 만날 기회를 영원히 놓쳐버렸을 것이다.

3학년이 되면서부터 대부분의 학생들이 학점 따기에 열을 올렸다. 수업 자체보다는, 수업에서 좋은 점수를 따서 취업에 좋은 영향을 끼칠 수 있는지 없는지를 가늠하고자 노력하는 동기들이 많아졌다. 누군가에는 최승자가 중요한 위치를 차지하는 시인일 수 있었지만, 또 다른 누군가에게는 학점을 잘 받아내고 싶은 교수 이상도 그 이하도 아닐 수 있었다는 것이다.

그해 가을부터 겨울까지, 주 1회, 3시간가량 진행된 최승자 시인의 수업은 호불호가 명백히 갈렸다. 그와 때로는 나른하게 때로는 날카롭게 문학 전반에 대한 이야기를 나누었던 시간은 한 편의 시처럼 각인되었다. 마지막 수업 때 최승자 시인은 새하얀 패딩 점퍼를 여느 날처럼 챙겨 입고 강의실로 들어왔다. 한 학기 내내 마주했던 나를 비롯한 여섯 명 남짓한 수강생의 이름조차 제대로 기억하지 못했으므로, 마치 다시 볼 것처럼 대강 인사를 마친 그가 문밖으로 휘적휘적 걸어 나가는 모습을 물끄러미 바라보면서 이렇게 중얼거릴 수밖에 없었다.

'망각의 눈사람, 감사했습니다. 부디, 행복하세요.'

그 이후로 시인 최승자의 수업은 더는 개설되지 않았다. 몇 해가 흘러 시집 《쓸쓸해서 머나 먼》이 출간됐을 때, 그녀가 전작 《연인들》 이후, 정신적으로 고통스러운 시간을 보냈다는 사실을 알게 됐다. 그 시집은 최승자의 영혼을 닭고기 스튜처럼 갈아서 만들어진 것이었다. 누군가에게 한없는 고통의 순간이, 누군가에겐 절대적 환희의 순간이 될 수 있다는, 예술의 아이러니한 모습 앞에서, 그녀가 망각의 시간을 거듭 반복할 수밖에 없었던 진짜 이유가 있었는지도 모르겠다고 생각했다.

미디어에 노출된 인터뷰 속 황폐한 시인의 눈을 바라보며, 홀로 건투를 빌던 밤도 있었다. 그리고 다시 《연인들》을 꺼내 읽었을 때, 그 시집을 처음 만났던 국제서림에서의 '첫' 순간이 떠올랐다. 시인이 되고 싶다는 막연한 꿈 앞에 못내 설레면서도, 기어코 오른 막차의 차창에 얼비치던 한 청춘의 자화상이 못내 안쓰러웠던 때가….

그리고 얼마 지나지 않아, 가슴속 어딘가에 내재되어 있다고 생각했던 그 시절의 열정이 거짓말처럼 사라져버렸다는 사실을 알게 됐다. 4학년, 졸업, 사회생활을 시작하며 눈앞에 펼쳐진 미지의 시간을 응시하느라, 해답을 알 수 없는 질문 앞에 머리를 조아리는 사이, 청춘은 기별 없이 흘러갔다.

*

2004년 12월 이소라의 6집 〈눈썹달〉이 발매되었다. 나는 그 앨범을 영풍문고 종로점에서 구매했다. 생각해 보니, 대부분 졸업 이후의 삶을 걱정하면서도, 생각이 어지러울 때면 버스를 타고 종로로 훨훨 날아가 정처 없이 그 일대를 방황하곤 했다. 없는 용돈을 쪼개가며 영화를 관람하거나 대형 서점을 방문해 시집이나 소설집을 구매한 뒤 허공을 밟는 기분으로 허정허정 집으로 돌아오곤 했다.

돌아오기 아쉬울 때면 찬바람 부는 인사동을 거닐며 스트레스를 해소했다. 종로 일대에는 예나 지금이나 어학원이 넘쳐났지만,

익명의 사람들로 붐비는 어학원의 회전문보다는, 유럽 및 제3세계 예술영화들이 상영되던 시네코아[2], 허리우드극장[3]의 회전문을 뻔질나게 드나들었다. 그 시절에 만난 영화가 이자벨 위페르 주연의 〈피아니스트〉, 짐 캐리 주연의 〈이터널 선샤인〉, 오다리기 조 주연의 〈메종 드 히미코〉, 가엘 가르시아 페르날 주연의 〈나쁜 교육〉 등이었다.

그렇게 보면 〈눈썹달〉과의 만남도 종로에서 필연적으로 이루어질 수밖에 없었다. 광화문 사거리의 교보문고보다는 종각역에 인접한 영풍문고나 반디앤루니스에 가기를 더욱 좋아했던 나는, 신보 섹션에 꽂혀 있던 이소라의 앨범을 지나칠 수 없었다.

이소라의 음악 세계에서 〈눈썹달〉은 두고두고 대표작으로 언급된다는 사실을 모르는 이는 거의 없을 것이다. 명반이라는 타이틀까지 얻은 이 앨범의 노래 중, 대부분의 사람들은 2011년 대중음악 전문가와 문인이 선정한 아름다운 대중 가사 1위에 뽑히기도 한 '바람이 분다'를 대표곡으로 뽑는다. 나도 마찬가지다. 부인할 수 없이 처연하도록 아름다운 노랫말을 가졌기 때문이다.

---

2 1997년 개관하여 2006년 폐관한 복합상영관

3 1969년에 개관한 서울 종로구 낙원상가에 있는 복합상영관. 2010년부터 실버영화관으로 이름이 바뀌었다.

하지만 이 음반에서 '바람이 분다'만이 중점적으로 언급되는 일만큼은 팬으로서 조금 안타까운 일이다. 어쩔 수 없이 '바람이 분다'에 높은 점수를 주게 되지만, 풍부한 감성을 이끌어내는 매력적인 노래가 많기 때문이다. 나의 경우에는, 이 앨범을 여러 번 감상한 끝에 아홉 번째 트랙인 '포츈텔러(fortuneteller)'의 노랫말과 멜로디에도 깊이 매료됐다.

처음 이 노래를 들었을 때, 나는 고개를 갸웃거렸다. 무엇보다 전혀 이소라스럽지 않다는 생각이 들어서였다. '포츈텔러(Fortuneteller)'에 대해 음악 비평가들은 이렇게 말했다. 이소라의 음반에서 새로운 신대철을 발견한 케이스라고. 그렇다면 신대철이 누구인가. 전설적인 록그룹 시나위의 멤버이자 작곡가, 한국 헤비메탈을 개척한 최고의 기타리스트가 아닌가. 미디어는 그런 그가 마치 개종(改宗)이라도 한 듯, 이 노래에서만큼은 몽환적이면서도 펑키한 곡을 선보였다[4]고 말했다.

사실, 평범한 팬에 불과한 내가 이 노래에 대해 내릴 수 있는 평가란 그리 대단한 것은 아니다. 그저 당시 이소라가 추구하던 음악 스타일과는 반 박자 다른 노선을 타고 있는 듯한 멜로디와 더불어 노랫말 속 장면이 눈앞에 선연히 그려진다는 점만으로, 내게서 높

---

4 조선일보, 2004.12.16.

은 점수를 얻었다. 무엇보다 이 노래를 듣고, 실로 오랜만에 최승자의 '흔들지 마'를 떠올렸다. 잊고 싶었던, 하지만 차마 잊어버릴 수 없는 지난날이 어슴푸레한 안갯속 풍경처럼 펼쳐졌다.

아름다움이 빤빤하게 판치는 프라하, 그러나 그 뒤편
숨겨진 검은 마술의 뒷골목에서 자기 몸보다 더 큰
누렁개를 옆에 끼고 땅바닥에 앉아
그녀는 내 손바닥을 읽었다.
나는 더 이상 읽히고 싶지 않다.
나는 더 이상 씌어진 대로 읽히고 싶지 않다.
그러므로 운명이라 말하지 마, 흔들지 마.

- 최승자 〈연인들〉, '흔들지 마' 부분

늙수그레한 얼굴로 섬찟하게 다가와
내 손에 담긴 운명을 볼 수 있다 하네
기묘한 만남에 괜한 호기심에
처음 보는 눈앞에 두 손을 펼쳐 보이네
어쩜 너무 신기하게 꿰뚫더군

끝도 없는 질문들에 질렸는지

미래의 길을 더 알고 싶다면

내가 걸어온 그 길에 있다고 그가 말했지

- 이소라 6집, 'fortuneteller' 부분

이소라의 노래를 들으며 최승자의 시를 떠올렸다면 지나친 비약일까? 두 사람의 사유 체계에 공통점이 있다고 판단한다는 것 역시도 마찬가지일 것이다. 이 두 예술가를 오래도록 좋아하게 된 이유라면, 판에 박힌 대로 뻔히 읽히지 않겠다는 '결심', 운명이라는 말에 휘둘리지 않고 과거를 밑거름 삼아 미래를 개척하겠다는 '야심'을 이소라는 음악으로, 최승자는 시로 말해주었기 때문이다.

이십 대의 내가 최승자와 이소라가 써 내려간 언어에 깊이 중독됐다면, 차마 두려움으로 내뱉지 못한 그 시절의 욕망을 여러 목소리의 버전으로 이야기해 주었기 때문이다. 때로는 동네 센 언니처럼, 인생의 달고 쓴맛을 먼저 맛본 선배처럼, 가끔은 앞뒤 재지 않고 떠들어대는 단골 카페의 푼수데기 여사장처럼, 죽음을 앞둔 아흔 살의 할머니처럼, 내가 차마 지껄이기 두려워했던 욕망을 기꺼이 투사해주었다.

단언할 수는 없으나 그들이 이제껏 말해온 서사는 '성공'보다는 '실패'에 가까웠다. 그들은 이쯤에서 멈췄으면 하는 순간에도 지독하게 한 발자국 더 나아갔다. 그것이 청춘이자 젊음이라는 에너지였고, 한발 뗀 이상 멈출 수가 없었을 테니까.

나의 경우는 어땠나? 반복된 실패의 경험은 나아가기보다는 멈칫거리는 태도에서 기인했다. 그래서 결국 '극지'로 밀고 나아가버리는 이소라의 노래를, 최승자의 시를 더욱 흠모하며 사랑할 수밖에 없었다.

고백하건대, 내가 이소라의 노래를 최승자의 시보다 조금 더 사랑했다면, 그건 고르고 잴 틈 없이 직관적으로 달팽이관에 내리꽂혔기 때문이다. 골방 안에서 텍스트를 한 자 한 자 곱씹으며 숨죽여 울 필요도 없었다. 이소라의 노래는, 이제 막 전주만 연주되었을 뿐인데도 한줄기 눈물이 뺨을 타고 주르륵 흘러내렸으니까.

바람이 분다

6집 〈눈썹달〉 track 3

지금 이 시대를 소비하는 방식은 천차만별이다. 개인도, 기업도, 사회도 편리하기 이를 데 없는 플랫폼을 이용해 끊임없이 자기만의 브랜딩을 해나가는 추세다. 어느 시대나 괄목할만한 성과를 이루어내는, 영리할 정도로 플랫폼의 최전방에서 활약하는 사람들이 있었지만, 여전히 요원한 상태로 현재를 살아가는 (나 같은) 사람들도 많다. 그렇다면, 소위 밀레니얼 세대의 시작점이라고 할 수 있는 80년대 초반 생인 나는 그래서 가끔 궁금해진다. 그 시절, 온라인에서 글을 쓰던 사람들은 지금 어떻게 살아가고 있는가?

05. Are you ok?
- 온라인 글쓰기와 '바람이 분다'

2000년대 중반에서부터 2010년대 초반까지 열심히 활동하던 온라인 글쓰기 사이트가 있었다. '한페이지 단편소설(www.1pagestory.com)'이라는 곳으로, A4 1매에서 1.5매 분량의 초 단편 소설을 응모해 -운영자 기준에서- 당선이 되면, 소설쓰기 게시판에 엽편, 단편, 중편 등의 소설을 자유롭게 올릴 수 있는 자격이 주어졌다.

사이트를 알게 된 것은 대학교 3학년 1학기 때 들었던 교양 수업을 통해서였다. 말을 할 때마다 '에에'하는 추임새를 습관적으로 사용하던, 그래서 실제에 비해 나이가 많다는 오해를 받았던 교수는 한페이지 단편소설의 운영자이자, 온라인 플랫폼에서 눈에 띄는 작품 활동을 선보이던 한 작가를 눈여겨보았다.[1] 강의 중반에 접

1 소설가 서진. 그는 《웰컴 투 언더그라운드》로 제12회 한겨레문학상을 수상하며 데뷔를 했다. 이후 몇 권의 소설집과 에세이, 청소년 소설집을 출간하며 작가로 활동 중이다.

어들 무렵, 교수님은 온라인 글쓰기의 가능성을 설파하며, 그가 운영하고 있던 사이트를 소개해 주면서 이렇게 말했다.

"여러분들이 자유롭게 글을 쓰고, 재능을 검증받을 수 있는 곳이라면, 온·오프라인 가리지 않고 마음껏 도전하고 쟁취해나갔으면 좋겠습니다."

*

당시의 나는 '문학적' 글쓰기에 다소 지쳐 있었다. 시든 소설이든 작가로 등단하고 싶다는 욕망이 번번이 치밀하고 견고한 거절의 벽에 부딪쳤던 탓이었을까? 원하는 것에 한 발자국 다가가려 할수록 문학의 벽은 가늠할 수 없이 높아 보였다. 그 벽을 넘어설 수 있는 것은 독수리처럼 힘찬 날개를 가진 사람이 아닐까 싶을 정도였다. 그래서 내가 가진 재능이, 이를 뛰어넘기 위한 정신적·육체적인 체력이 한참이나 모자라 보였다.

그러던 어느 날, 영어회화 수업 기말고사를 마치고 시험지를 제출하기 위해 단상으로 올라갔을 때였다. 금발의 말총머리를 질끈 동여맨 미국인이자, 사려 깊은 눈망울을 가진 해당 수업의 담당 교수였던 데이비드(David)가 한 학기 동안 사용한 '앤(Ann)'이라는 닉네임을 불러주며, 'Ann, Are you ok?'라는 질문을 던졌다. 평소라면 수업을 들었던 학생들에게 작별 인사를 건네고 싶어 던진 별일 아닌 안부 인사 정도로 받아들였겠지만, 당시의 나는 너무 괜찮지 않았고, 인생에서 가장 혼란스러운 시간을 보내는 중이었으므로, 그 말의 의미가 각별하게 와 닿았다.

그의 말은 사소한 인사에 지나지 않았기에, 평소의 정신 상태로 그 질문을 받았다면 짐짓 망설이다가, 'I',m ok. thank you' 정도로 대답하고 그 자리를 빠져나왔을 것이다. 그러나 우물쭈물하다가 대답도 제대로 하지 못한 채 서둘러 강의실을 빠져나왔다. 그것이 친절했던 교수, 데이비드와의 영원한 이별이 될 줄도 모르고.

*

곧장 학교를 벗어난 나는 집으로 향했다. 요지부동으로 멈춰 있던 컴퓨터를 켜고, 깜빡깜빡 거리는 커서를 따라 숨죽인 채 한 편의 소설을 써 내려가기 시작했다. 데이비드가 던진 'Are you ok?'라는 문장 그대로의 화두를 어떤 식으로든 의미화하고 싶어서였다. 그날 쓴 소설의 내용은 대충 이러했다.

여자 주인공은 길거리에서 우연히 한 외국인과 마주친다. 그런데 갑자기 그 외국인이 자신에게 다가와 이런 말을 건넨 것이다. '너, 괜찮아?'라고. 주인공은 외국인인 그가 그 상황에서 물어볼 말은 길을 묻는 것 정도로 짐작했기에, 의외의 질문에 당황한다. 뭐라고 대답해야 할지 몰라 할 말을 고르는 사이, 그에게서 다시 한번 '너 괜찮아?'라는 말이 날아온다. 주인공은 또렷한 시선으로 자신을 응시하는 외국인 앞에서, 그만 참아왔던 눈물을 터뜨리고야 만다.

사실, 주인공에겐 여러 가지 상황이 있었다. 그를 만나기 직전, 오래 사귄 남자친구와 급작스럽게 이별했기 때문이다. 슬픔이 최고조로 차올랐지만, 사람들은 너무 큰 슬픔 앞에 서면 외려 무감각해지기 마련이다. 그녀가 갑작스럽게 눈물을 흘린 이유는 난생처음 만난 낯선 이방인이 가까운 사람조차도 쉽사리 읽어내지 못하는 슬픔을 알아봐 준 고마움 때문이었다. 그러나 달리 생각하면, 그는 단지 '질문'을 던졌을 뿐이다. 하지만 어떤 질문은, 때로 받아들이는 당사자의 감정 상태에 따라 의미가 변주될 수도 있다.

그녀는 이역만리에서 온 절대적 타인의 한 마디, 그 한 마디에 숨어 있던 호의에 예기치 못하게 감응한 것이다. 그리하여 헤어짐의 아픔도, 혼자라고 생각했던 외로움도 아주 잠깐 망각할 수 있게 된 주인공은, 그 순간 가장 진실한 마음을 담아 고마움을 표현한다. 이를테면 상대방의 이름을 묻는 일, 그의 이름이 '데이비드'임을 확인하는 일… 그렇게 소설은 끝을 맺는다.

*

'데이비드'라는 제목의 소설을 완성한 것은 땅거미가 내려앉은 오후였다. 마침표를 찍은 문서 화면을 바라보다 까닭 없이 두려움을 느꼈다. 이런 종류의 글도 소설이 될 수 있을까? 오랜만에 한 편의 짧은 소설을 완성했다고 자각한 순간, 컴퓨터와 연결된 인켈 2채널 스테레오 스피커에서 울려 퍼지고 있던 나직한 음악이 바로 이소라의 '바람이 분다'였음을 깨달았다. CD에 저장된 파일을 MP3 파일로 변환, 내 문서에 저장해 윈앰프라는 플레이어 프로그램을 통해 음악을 듣는 일은, 그 시절 음악을 감상하는 보편적인 방법이었다.

오랜만에 쉴 틈 없이 써 내려간 A4 기준, 1.5매의 글을 누군가가 읽어줬으면 좋겠다고 생각했다. 합평이 아닌 방식으로 평가받고 싶었다. 그리하여 당시 신생 글쓰기 사이트에 불과했던 한페이지 단편소설의 운영자에게 메일을 보냈다. 그리고 그 글은 얼마 지나지 않아 당선작으로 선정됐다는 심플한 답변과 함께 사이트에 게재됐다.

그때부터 본격적인 온라인 글쓰기 활동이 시작되었다. 사이트의 부흥으로 오프라인 창작 활동 역시 활발하게 이루어졌다. 온·오프라인을 넘나드는 활동은 이십 대 초·중반부터 서른까지 6~7년에 걸쳐 이어졌다. 소설 게재를 비롯해, 낭독회 참여, 에디터로서의 재능 기부 및 일정 금액을 보전해주는 서포터스 활동, 이북을 포함한 책 제작 및 출간기념회 등을 포함한 일들이었다.

그렇게 숨 가쁘게 달려왔던 시간이 지나고 언제부터였을까? 해를 거듭할수록 사이트엔 당선작이 늘어났고, 회원 수가 5,000여 명에 이를 정도로 거대 사이트로 성장했지만, 가슴 한 구석은 어쩐지 공허했다. 새로운 글쓰기 강자가 생겨나면, 자연스레 옛 글쓰기 강자들은 도태됐다. 어떤 방식으로든 경쟁은 가시화될 수밖에 없다는 점이, 온라인 글쓰기 사이트 내에서도 주된 분위기로 자리 잡아서인 듯했다. 그러다 보니 좋은 결과물을 써 내려가던 작가들이 사이트를 이탈하거나 탈퇴하는 사례도 늘어났다. 사이트에서 다진 실력을 바탕으로 문단 데뷔를 하는 작가들도 생겨났지만, 결과적으로 나는 그 흐름을 타지 못했다. 등단은 여전히 요원했고, 진입장벽 역시 높았다. 나의 가장 큰 문제는 사이트 내에서의 '안주'였다. 글쓰기에 대한 딱 그만큼의 만족이 나를 발전적인 방향으로 이끌어가지 못했다.

*

그즈음 한페이지 단편소설 활동을 잠정적으로 보류하고, N포털의 블로그로 갈아타 나름대로 변방에서의 글쓰기를 이어갔다. 그것 역시도 자기만족 이상으로 발전하지 못했다. 졸업 후, 직장인의 삶을 살게 된 나는 야근을 마치고 돌아와 그날 있었던 일을 블로그에 기록하는 정도로만 글쓰기의 삶을 겨우겨우 유지해나갔다.

사이트에서 함께 글을 써왔던 일부의 사람들이 N포털의 블로그에 둥지를 틀었다. 다들 글쓰기를 통해 자기 자신을 표현하던 사람이어서, 글쓰기에 최적화된 플랫폼을 찾기 위한 다양한 시도를 하던 때였다. 그러던 중, 스마트폰과 함께 페이스북과 트위터를 위시한 소셜네트워크서비스(SNS)가 등장했고, 이를 활용하는 움직임이 늘었다.

그즈음 간소화된 플랫폼에 적합한 단문 글쓰기는 더욱 호황을 누렸다. 많은 의미들이 플랫폼에 규격을 맞추느라 덩치를 줄여나갔다. 글의 분량뿐만 아니라, 글 안의 문장, 문장 안의 단어, 단어가 품은 뜻이 시대에 맞게 새롭게 각색됐다. '바람이 분다' 속 "나의 이별은 잘가라는 인사도 없이 치러진다"와 같이, "내게는 천금 같았던 추억이 담겨져 있던" 모든 것들이, 플랫폼에 의해, 간단히

(돌연)변이 됐다.

지금도 웬만한 SNS는 조금씩 활용하고 있지만, 그때도 그렇고 지금도 그런 생각이 든다. 우리 세대에게 주어진 다양한 플랫폼을 현명하게 활용하기가 어렵다고 말이다. 다채로운 플랫폼의 등장이 마치 당연히 누려야 할 필연적인 호사가 아니라, 급변하는 시대의 흐름에 맞추어 탄생한 부산물처럼 느껴진다고나 할까?

내게는 소중했던
잠 못 이루던 날들이
너에겐 지금과 다르지 않았다
사랑은 비극이어라
그대는 내가 아니다
추억은 다르게 적힌다

- 이소라 6집, '바람이 분다' 부분

지금 이 시대를 소비하는 방식은 천차만별이다. 개인도, 기업도, 사회도 편리하기 이를 데 없는 플랫폼을 이용해 끊임없이 자기만의 브랜딩을 해나가는 추세다. 어느 시대나 괄목할만한 성과를 이루어내는, 영리할 정도로 플랫폼의 최전방에서 활약하는 사람들이 있었지만, 여전히 요원한 상태로 현재를 살아가는 (나 같은) 사람들도 많다. 그렇다면, 소위 밀레니얼 세대의 시작점이라고 할 수 있는 80년대 초반 생인 나는 그래서 가끔 궁금해진다. 그 시절, 온라인에서 글을 쓰던 사람들은 지금 어떻게 살아가고 있는가?

*

한페이지 글쓰기 사이트에 썼던 이소라의 6집 앨범 〈눈썹달〉에 대한 리뷰는 사이트가 폐쇄되며(정확히는 휴면 계정이 되었다) 사라졌다. 그러나 블로그 게시판에 이소라의 '바람이 분다'를 듣고 쓴 짧은 감상평은 아직까지 남아 있다. 그때 나와 내 글쓰기 동지들은 '사랑은 비극이어라'라는 가사를 '사랑은 비둘기여라'라고 오해한 공통점을 화두 삼아 한바탕 우스꽝스러운 댓글 설전을 이어갔다.

그러다 결국, 그 노랫말을 오해하게 된 바탕에는 '사랑은 모름지기 잡으려고 하면 할수록 날개를 털며 포르르 날아가 버리는 존재'라는 사실에서 기인했음을 깨달았다. 모든 것이 급변해가는 세상 속에서도 정서적으로 느리게 감응하길 좋아하던 사람들이 그 시절에는 '있었다'. 물론, 플랫폼의 변화와 다채롭게 호응하며 변주

된 방식으로 소통과 공유의 감성을 이어오는 사람도 있을 것이다.

하지만 가끔은 궁금해진다. 그렇게 누군가가 내린 답변에 모두들 수긍한다는 듯 고개를 끄덕이고는 자기 자리로 돌아가 버린 그 사람들은, 지금쯤 어디에서 무엇을 하며 그 시절을 추억하고 있을까? 혹은 그날을 잊은 채로 현재를 살아가고 있을까?

이미 너무 많이 흘러가버린 시간이, 서로에게 너무 비극적인 방식으로 기억되지 않기를 바라는 마음으로, 그들의 안부를 자꾸만 묻고 싶어지는 것이다.

"당신, 괜찮아요?"라고.

NO.1, Cover 이소라(원곡 : 보아)

[<나는 가수다> 1시즌 경연곡] 2011년 5월 8일 방송

"난 이 프로그램을 반드시 해야 한다고 생각했어요. 왜냐하면 나이가 들수록 너무 뭘 가리면, 노래를 많이 할 수가 없더라고요. 또 혼자 하는 건 재미가 없잖아요. 들어주는 사람이 있어야 하고, 또 제 노래를 듣고 어떤 사람의 마음이 움직이고, 내 마음이 움직이고… 노래라는 건 그런 거 같아요. 누군가의 마음을 움직이는 것."

06. 누군가의 마음을 움직일 수 있다면, 꼭 일등이 아니어도 돼

- <나는 가수다>와 'No.1'

스물아홉, 그 해 진한 아홉수를 견디고 있었다. 회복 불능의 병, 퇴사 병이 도진 나는 햇수로 3년 정도 다닌 회사를 그만두기로 결심했다. 함께 일했던 동기들이 하나둘씩 꿈을 좇아 사직서를 제출하던 무렵이었다. 누군가는 회사 생활과 병행해오던 학업에서 성과를 내기 위해, 누군가는 뒤늦게 시작한 음악 공부, 음악가로서의 활동을 하기 위해서라고 했다. 나는 때로 감정적으로 부딪치긴 했어도 대체적으로 존경의 감정을 품었던 동기를 하나둘씩 떠나보내고, 지난한 조직 개편의 과정을 지켜보다 뒤늦게 회사를 나왔다. 2011년 3월, 꽃 피는 봄의 일이었다.

그렇게 시작한 백수생활 중 유일한 낙은 MBC에서 방영된 <나는 가수다>라는 경연 프로그램을 시청하는 일이었다. 생각해 보니 2010년대는, 다양한 음악 경연 프로그램이 우후죽순으로 생겨나던 때였다. 그래서일까. 이미 프로로 활동하고 있는 유명 가수들을, 일반인을 대상으로 펼쳐지는 경연 프로그램의 심사위원이 아닌, 서바이벌 경쟁 구도 속에 끌어들이고, 이들에게 탈락을 감수하게 만드는 프로그램의 콘셉트 자체가 당시만 해도 꽤나 신선하고 파격적으로 다가왔다.

무엇보다 이소라가 주말 황금시간대에 편성된 〈나는 가수다〉의 MC를 맡게 되었다는 사실, 1회부터 경연 가수로 참여한다는 소식 자체가 더없이 반갑게 느껴졌다. 퍼포먼스에 최적화된, 압도적인 팬덤을 거느린 아이돌이 앨범 발매와 동시에 상위권을 선점해버리는 가요 순위 프로그램에서, 좋아하는 가수의 순위를 예측하기 더욱 어려워진 상황에서 맛본 단비 같은 소식이었다.

경연에 참여한 가수들, 적게는 데뷔 10년에서 많게는 20~30년이 된 가수에겐 '순위'가 갖는 의미는 무엇일까? 언젠가부터 정말로 좋아하는 것은 순위를 매길 수가 없으며, 그저 때가 되면 꽃이 피고 지는 일처럼, 내가 좋아하는 뮤지션이 앨범을 내고 활동해주는 것만으로도 팬으로써 감사한 일이었으므로.

어쩌면 그들에겐 노래를 제대로 부를 수 있는 터전을 제공해주기 위한 공중파의 노력이, 뜨거운 무대가, 팬들의 진심 어린 찬사가 그리웠던 것은 아닐까?

*

첫 방송 날, TV에 얼굴을 내민 이소라는 다소 야윈 인상이었다. 긴장감으로 상기된 눈빛이었지만, 그녀의 90년대를 떠올리게 하는 짧은 헤어스타일과 드레시한 옷차림에서 당시에는 느끼기 어려웠던 연륜, 품위가 느껴지는 듯했다. 첫 경연의 주제였던 '자신의 대표곡 부르기' 미션에서 그녀는 모두의 예측대로 '바람이 분다'를 선택했다. 가슴을 진동시키는 듯 익숙한 피아노 전주가 무대 위에 울려 퍼질 때, 관객석에서는 기다렸다는 듯 탄성이 새어 나왔다. 이소라를 떠올리면 자동으로 연상되는 노래가 되어버린 '바람이 분다'는, 나 역시 발매 후 수백 번 가까이 들었지만, 노래를 들을 때면 여전히 암담해지곤 한다. 마치, 깎아지른 절벽 위에서 -떨어지고픈 마음을 간신히 억누른 채- 바람을 맞고 서 있는 존재 가치마저 희미해져버린 사람이 된 것처럼 말이다.

그러나 기꺼이 즐겨도 모자를 첫 경연을 지켜보던 나는 이 프로그램이 가진 맹점 한 가지를 발견했다. '노래' 이상으로 '경연'에 초점을 맞추느라 출연진들의 반응을 우선순위에 놓다 보니, 노래를 듣기 위해 TV 앞에 모인 시청자를 배려하지 못하는 몰입 방해 편집 방식이 거슬렸다. 노래 중간 삽입되는 영상, 경연 가수와 일대일로 매칭된 자칭 매니저라는 직책의 연예인 출연진과 그 외 출연 가수들이 각각의 경연 노래에 시시각각 반응하는 모습을 등장시키는 일들이 그랬다. 그렇게 집중력이 마구 흐려지던 상황 속에서, TV를 꺼야 하나 말아야 하나를 심각하게 고민하던 찰나, 노래 중반부에 삽입된 이소라의 인터뷰를 보고 난 후 다시금 마음을 고쳐먹었다.

"난 이 프로그램을 반드시 해야 한다고 생각했어요. 왜냐하면 나이가 들수록 너무 뭘 가리면, 노래를 많이 할 수가 없더라고요. 또 혼자 하는 건 재미가 없잖아요. 들어주는 사람이 있어야 하고, 또 제 노래를 듣고 어떤 사람의 마음이 움직이고, 내 마음이 움직이고… 노래라는 건 그런 거 같아요. 누군가의 마음을 움직이는 것."

이십 대 초반에 데뷔해, 당시 사십 대 초반에 이른 이소라는 오랜 가수 생활을 거치는 동안 조금 둥글어졌다는 생각이 들었다. 이삼십 대 내내 '뭘 가려오던' 사람이 사십 대가 되어서야 '뭘 가리면 안 된다'라는 말을 하고 있었으니, 그의 오랜 팬이었던 나는 그 숨은 뜻을 헤아려보는 시간이 필요했던 것이다.

*

문득, 지난했던 퇴사 과정이 떠올랐다. 혹은 먼저 떠난 친구들이 남긴 말들도 여러 번 곱씹게 됐다. 스물아홉에서 서른이라는 나이는 어리다고 하면 어렸지만, 마냥 어리다고 대접을 받을 수 있는 나이는 아니었다. 모두들 자신의 꿈을 좇아 일터를 떠날 각오를 했지만, 한편으로는 자신이 내린 선택이 타인의 관점에 비추어봤을 때도 부족함이 없는지를 끊임없이 의심해야 했으므로.

돌이켜보면 이 무렵의 나는 '업직종 전환'이라는 거대한 파도를 온몸으로 막아서고 있던 중이었다. 졸업 후, 이십 대 중반까지는 전공을 살려 콘텐츠를 개발하거나 매거진을 만드는 일을 해왔다. 그러나 이십 대 중반 무렵부터 서른 언저리까지 학과 교수님의 추천으로 취업하게 된 문화원 운영 팀에서 각종 회계 장부를 만지고, 문화/예술계 관계자들을 만나는 일을 해오던 내가, 기존에 해오던 콘텐츠 에디터이자, 출판기획자로 선회하려고 하니 그 과정이 오죽 만만했을까?

모든 것들이 발목을 잡고 있다고 생각하던 내게, 이십 대에서 삼십 대 내내 자신의 감정에 충실한 나머지 까칠하기 이를 데 없는 사회 선배님 같은 이미지로 각인됐던 이소라가 '뭘 가리면 안 된다'라는 화두를 던져준 셈이었다. 사실, 직업적인 관점에서라면 더 늦기 전에 기획자나 편집자로서 자리를 잡는 것이 옳았다.

하지만, 내게는 여전히 이십 대부터 넘어서지 못한 큰 산이 있었다. 바로 소설가가 되고 싶다는 소망, 이소라의 표현대로 여전히 내가 '뭘 가린다'고 했을 때, 나의 경우에는 소설가가 되고 싶은 욕망에 짓눌려, 깎아지른 절벽 위 바다를 등진 채 -존재 가치마저 희미한 사람처럼- 바람을 맞고 서 있을 수밖에 없었던 것이다. 등 뒤에 푸른 바다가 펼쳐져 있는 줄도 모르고 말이다.

그래서 그 시기에도, 어쩔 수 없이 어리석은 중생처럼 이십 대 때의 행동을 반복했다. 글을 쓰고 투고하고, 거듭 실패를 맛보는 것, 그러다가 돈도 떨어지고 마음까지 약해지면 이력서를 썼다. 백수 생활을 청산하고 들어간 콘텐츠 개발팀에서 반년, 이어 인문역사교양서 출판사에서 약 1년 동안 일을 했다. 이후 편집디자인 전문회사에 들어가 기획자로서 단행본을 비롯해 여러 매체의 매거진과 다양한 홍보물을 만들며 차곡차곡 커리어를 쌓아왔다. 그것이 간단하게 압축되는, 내 삼십 대의 이야기다.

*

이소라는 〈나는 가수다〉 1시즌 중에 탈락의 고배를 마셨다. 그리고 탈락과 함께(탈락에 구애받지 않고 이어가겠다던) MC도 돌연 그만두었다. 경연 중반, 자신의 대표곡인 '나를 사랑하지 않는 그대에게'를 부를 때까지도 그녀는 잔잔한 바다 위에 띄어진 돛단 배라도 탄 듯 순항 중이었다. 그러다 보니 나도 모르게 경연에 오른 다른 가수들, 폭발적으로 감정을 분출하며 높은 순위권을 선점하기 위해 열띤 경쟁을 벌이는 다른 뮤지션들처럼 노래하지 않는 이소라의 선곡 방식에 불만이 생겼다.

이 프로그램의 목표 자체가 순위 경쟁이니만큼 순위에 집착할 수밖에 없는 것이 당연한 이치일 텐데, 경연 초반만 해도 이소라만큼 경쟁 구도에 최약체로 보이는 사람도 없으니 좀 더 과감해지길 바라는 마음에서였다. 그러나 그녀는 경쟁에서 떨어지지 않을 정도의 순위권을 유지해나가는 중이었고, 다행히 프로그램은 설명할 필요 없이 높은 시청률을 기록하고 있었다(고 믿었다).

그렇게 중하위권 순위를 이어가고 있던 이소라는 '내가 부르고 싶은 남의 노래' 미션에서 의외의 노래를 선택하게 된다. 바로 보아의 No.1이었다. No.1이 어떤 노랜가. 2002년, 월드컵 열기로 뜨거웠던 그 해, 십 대의 보아가 경쾌한 퍼포먼스와 발랄한 음색으로 자신이 여전히 최고라 여기는 연인을 떠나보내는 내용의 노래가 아닌가. 이소라는 이 곡을 어떻게 해석해서 커버할까, 순간적인 관심은 온통 거기에 쏠려 있었다.

그러나 모든 건 기우였다. '바람이 분다'를 작곡한 이승환이, 다시 한번 어쿠스틱 버전으로 재탄생시킨 No.1은 전주부터 비장함 그 자체였으니까. '둥둥둥둥' 울려 퍼지는 어쿠스틱 기타의 뮤트핑거 연주에, 다른 의미로 '바람이 분다'를 처음 들었을 때 피아노 전주 부분에서 느꼈던 감동을 고스란히 복제하듯 느꼈다. "어둠 속에 니 얼굴 보다가, 나도 몰래 울었어"라고 나직하게 뇌까릴 때, 마치 흑마녀가 재림한 것 같은 전율이 일었다.

그날, 이소라는 경연을 이어갈수록 점점 짧아지던 숏 헤어에 하늘거리는 검정 슈트를 매치했다. 스탠드체어에 비스듬히 몸을 기댄 채로 노래를 부를 때, 솟구치는 이마의 근육, 눈가에 잡히는 미세한 주름, 일그러지는 입가마저 준비된 퍼포먼스의 일부처럼 느껴졌다. 그야말로 원곡이 전혀 생각나지 않는 완벽한 이소라의 노래이자 무대였다. 방송을 지켜본 원곡자인 보아의 반응은 어땠을까? 후에 여러 온라인 기사를 통해 그녀 역시 엄지를 치켜세웠다는 이야기를 들을 수 있었다.

그렇다면 그날 이소라는 몇 위를 차지했을까? 내 바람대로 정말 그랬으면 더할 나위 없이 좋았겠지만, 조용필의 '이젠 그랬으면 좋겠네'를 커버한 박정현에 밀려 2위를 차지했다. 그날의 〈나는 가수다〉를 시청하며, 문득 그런 생각이 들었다. 이만하면 충분하지 않나? 어떤 프로 가수라도 끝나지 않는 경연을 감당해낼 수는 없을 거라고. 매주 수능을 보는 수험생의 심정으로, 매주 면접을 보는 직장인의 마음으로, 매주 1위를 꿈꾸는 가수의 심장으로는 절대 살아갈 수는 없을 것이라고 말이다.

*

나는 살면서 1등은커녕 2등을 해본 적도 별로 없다. 그래서일까. 내게 〈나는 가수다〉와 함께 시작한 이십 대 후반과 삼십 대 초반은 1등도 2등도 아닌 다른 순위의 삶에 대해서 생각할 수 있게 된 시간이었다. 반드시 1등을 해야만 얻을 수 있는 문단 작가의 자격이 아니더라도, 순위의 삶 밖에서도 얼마든지 글을 쓸 수 있는 삶을 살 것이라고 말이다.

You're still my No.1
보름이 지나면 작아지는 슬픈 빛
날 대신해서 그의 길을 배웅해줄래
못다 전한 내 사랑 나처럼 비춰줘

- 보아 원곡/이소라 Cover, 'No.1' 부분

문학은 여전히 내 삶에서 우선순위이다. 하지만 그것만이 지금까지의 내 삶을 증명해주는 유일한 방식이라고는 생각하지 않는다. "보름이 지나면 작아지는 슬픈 빛"이라는 노랫말처럼, 내내 떠나보내지 못했다고 생각했던 꿈에 대한 집착도 시간이 지나면 차츰 희미해진다는 것을 알고 있다. 다만 그것이 이제 삼십 대가 저물어가는 이 시점에 어렴풋이 알게 되었다는 사실이 조금 억울하긴 하지만 말이다.

track 8

7집 <이소라 7집>

그제야 광장에 모인 사람들이 눈에 들어왔다. 이제껏 본 적이 없는 수많은 인파로 인산인해를 이룬 그 장면은, 아마 평생토록 잊히지 않을 것이다. 오직 한 곳만을 향한 사람들의 시선이 머무른 자리, 단 하나의 구호만을 외치는 광장은 거대한 울림통 같았다. 묵직하고 느릿느릿한, 구슬픈 튜바의 선율을 닮은 구호가 두려움을 넘어 경이로움으로 다가왔다.

07. 너를 잃고 나는 쓰네

- 광화문광장과 'Track 8'

버스기사는 승객들을 향해 반복적으로 외쳤다. 광화문 사거리가 통제되면서 버스 진입 자체가 불가능하다고, 기존 노선대로 가지 못하고 우회할 예정이니 혹시 광화문으로 가려고 하는 분이 있다면 지하철을 이용하는 게 훨씬 더 빠를 거라고. 그는 공덕역에서 버스를 탄 사십 대 중반의 부부에게도 같은 말을 도돌이표처럼 반복했다. 굽이 낮아 편해 보이는 운동화를 신은 여자 승객은 크게 개의치 않는다는 듯 대답하며 차에 올랐다.

"괜찮아요. 갈 수 있는 데까지 가면 되죠, 뭐."

광화문으로 가까워질수록 승객 수는 현저히 줄어들었다. 평소라면 크게 상관하지 않았겠지만, 승객 수가 한 명씩 줄어들 때마다 왠지 모를 불안감을 느끼고 있던 차에 들려온 한 마디에 퍽 마음이 놓였다.

매일 이용하는 버스 노선은 아니었지만, 여의도와 마포대교를 지나 공덕역을 거쳐 충정로에서 이윽고 광화문으로 이르는 그 길은 대학 시절 자주 이용하던 노선이었다. 나는 이 길을 거쳐 함께 예술을 꿈꾸던 친구들과 씨네큐브에서 영화를 관람했으며, 가을날의 덕수궁을 거닐었다.

하지만 그날, 그 길은 조금 다르게 느껴졌다. 어쩐 일일까. 뭔가 특별한 일을 해내고 있다는 느낌 때문이었을지도 모르겠다. 그것은 어떤 '도취'와도 같은 감정이어서 뭐라고 정확하게 설명하기 힘든 부분이 있었다. 마치, 꼭, 누군가 차갑게 식어버린 뺨을 찬찬히 어루만져주는 듯 따스하면서도 편안한 온기를 느꼈다. 이것이 2016년 11월, 광화문광장에서 경험했던 일이다.

*

버스를 탈 때까지만 해도 그런 생각을 했던 것 같다. 왜 하필 다 늦은 저녁에 광화문을 가야 한다고 생각했을까. 토요일 저녁, 이제는 함께할 '너'도 없이, 주말 드라마만 주야장천 보고 있는 삼십 대 직장인이 할 수 있는 일이란 과연 무엇일까. 고민의 시간은 그리 길지 않았다. '일단 가보자'는 마음이었고, 내딛는 발걸음은 어쩐지 가벼웠으므로. 몇몇 친구들이 광장으로 오고 있다고 연락을 해왔다. 삼삼오오 모이면, 저마다의 가슴에 품고 있는 뜻을 어느 정도는 전할 수 있게 되지 않을까 싶었다.

이십 대에는 정치에 크게 관심이 없었다. 나와 내 친구들의 성향이 대체적으로 그랬다. 정치도, 경제도 틈입할 수 없는 견고한 '우리'라는 성 안에서 아무도 알아듣지 못하는 제3 세계의 언어를 속삭이기에 바빴으니까. 하지만 삼십 대에 본격적으로 접어들면서부터 생각이 바뀌었다. 일상에서 빈번하게 정치적인 상황과 마주하게 되었다. 작게는 밥을 내가 살 건지 말 건지에서부터, 크게는 거래처 담당자 앞에서 저절로 머리를 조아리는 일이 그랬다. 이러한 분주한 시간들을 거친 끝에 대부분의 지인들은 결혼했고, 아이를 낳았으며, 몇몇은 결혼을 전제로, 혹은 그럴 필요성을 느끼지 못한 채로 현재의 연애를 이어갔다.

*

대규모 집회를 예고하는 뉴스를 봤을 때, 뉴스 영상 속 '광장'에는 나와 크게 다르지 않은 평범한 '사람들'이 있었다. 그러니까 이렇게 쉽게, 광장의 풍경을 묘사하는 것이 옳지 않겠지만 눈앞에 펼쳐진 현실이 그랬다.

광장이 들끓기 시작한 건, 몇 년 전의 봄, 아름다운 꽃이 피는 계절에 아이를 잃어버린 사람들이 기폭제가 되었다. 그들은 아이를 잃은 이유에 대해 알고 싶어 했다. 빼앗긴 일상성을 회복하고, 맨 처음의 얼굴로 돌아가길 염원하던 사람들이었다. 그들은 우리처럼 '너'라는 존재를 송두리째 잃은 사람들이었다. 그즈음, 우리가 당면한 '문제'는 우리의 일상을 마구잡이로 침범하고 흩뜨려놓았다. 특히 어린아이들의 손에 들린 붉은색 피켓과 그 속에 적힌 '이것도 나라냐'라는 문구는 어른아이 할 것 없이 절망이 무엇인지를 깨닫게 해주었다.

다른 것이라면, 그들은 환한 촛불을 들고 있었고 단 하나의 구호를 외치고 있었다. 모든 것을 잃게 만든 사람, 조직, 체계, 시스템은 가차 없이 물러가라고. 나는 왠지 각자의 사정, 곡진한 과정을 거쳐 광장으로 삼삼오오 모여들었을 사람들의 틈바구니 속에 잠시나마 머무르고 싶었다. 우리는 소중한 단 하나의 존재를 잃음으로써 모든 것을 빼앗긴 공통분모를 갖고 있었기 때문이다.

그땐 그게 전부였다.

어느 순간부터 무언가가 되어야겠다는 간절함이 사라져 버렸다. '열정', '꿈'처럼 쉽게 잡히지 않는 단어를 입에 담는 것이 무서웠다. 실체가 불명확할수록 그것을 꼭 움켜쥐고 싶은 열망은 강해지기 마련이었으니까. 그럴 때면, 스무 살 교양 강의가 진행되던 봄날의 대강의실 장면이 무럭무럭 떠올랐다.

이제 막 마흔을 넘긴 전공 교수는 콧날 위에 얹힌 동그란 안경을 검지로 추어올리며 이렇게 말했다. 그의 눈빛은 꼿꼿하게 학생들을 응시하고 있었고, 다정함과 냉정함이 교차하는 그의 목소리는 마이크의 힘을 빌리지 않고도 강의실을 먹먹하게 울렸다.

"나는 꿈꾸는 것이 무서웠습니다. 그래서 현실로 도망을 쳤습니다."

자기 고백적인 한 마디에, 우리 모두는 그 말이 함의한 뜻을 백퍼센트 이해한다고 자신할 수 없었으나 두려움에 몸을 떨었다. 그때는 꿈만큼이나 실체가 분명하고 명징한 단어가 없었기 때문이다. 하지만 이제는 알만한 나이가 됐다. 해답 없는 꿈을 향해 무모하게 나아가는 일이야말로 위험천만한 짓이라는 것을….

그날의 나는 확인해야만 했다. 내 안에 무언가가 아직은 남아있다는 사실을, 그것이 촛불처럼 다시 환하게 타오르길 바랐다. 그것은 사랑하는 존재를 잃어버린 사람들의 가슴을 수년째 뜨겁게 물들이고 있는 단 하나의 물음이었다. 줄곧 사라지지 않을, 내 안에 남은 단 하나의 화두이기도 했다. 그 광장에는 모르긴 몰라도 '너'

를 잃어버린 사람이 대부분이었으므로.

그들은 원대한 포부, 거대한 상징, 비장한 신념 따위가 아니라 그저 '너'라는 존재를 상실했다는 이유만으로 가슴이 무너져 내리는 사람들이었으므로.

*

버스 기사는 아현초등학교 앞에서 우회할 것이라고 말했다. 일부의 사람들이 내렸고, 일부의 사람들은 우회하는 버스에 그대로 남았다. 버스는 느릿느릿 다른 노선을 따라 멀어져 갔다. 버스에서 내린 나는 앞사람들과 적당한 보폭을 유지하며 걸어 나갔다. 걷는 도중에, 친구들의 안부가 새삼 걱정됐다. 광장으로 제대로 오고 있긴 한 것일까? 만나자고 한 장소에서 별일 없이 만날 수 있을까? 중도에 포기하고 싶어지면 어쩌지?

한편으로는 묘한 안도감이 들었다. 어떤 상실을 겪었다는 공통점 하나만으로도, 자신의 의지를 발휘해 광장으로 향해오고 있다는 누군가가 있다는 사실만으로도, 나는 '뭔가' 해냈다는 생각이 들었다.

*

해는 이미 저문 상태였지만, 하늘에는 손톱만 한 달이 떠 있었다. 걸음은 더뎠지만 그것만으로도 충분했다. 굽이 편한 운동화를 신고 내 앞에서 당당하게 걸어가던, 같은 버스에서 내린 중년 여성의 말처럼 갈 수 있는 데까지만 가면 됐으니까. 광장으로 가까워질수록 빛은 더욱 환하게 타오를 테니까.

광장으로 걸어가는 내내, 환한 빛으로 좀 더 가까이 다가가고자 애를 썼던 내내, 이 걸음을 절대 멈추지 않겠다는 다짐으로 이소라의 노래를 들었다. 7집 〈이소라 7집〉의 타이틀곡인 'Track 8'이었다. 이 앨범의 특징은 삽입된 수록곡에 별다른 제목을 붙이지 않았다는 점이다. 친절한 방식에 익숙한 리스너들에게 해당 앨범은 그리 반갑지 않을 지도 모르겠다. 그러나 7집의 전체 트랙을 다 듣고 나면, 수록된 곡들이 단 하나의 멜로디 속에서 다듬어지고 만들어진 노래라는 착각이 들 정도로 완성도가 높다.

이소라가 누구인가? 그녀는 앨범을 발매할 때마다 단 한 번도 호락호락했던 적이 없었다. 비슷하면서도 다른, 혹은 전혀 상반된 앨범들을 냈으니까.[1] 그래서 Track 8은 조금 예외적으로 다가왔

1 앨범 구매자들이 직접 들어보고 느낀 그대로를 곡 제목으로 붙일 수 있도록 고안된 7집은 음

는지도 모르겠다. 한참 동안 광장을 향해 걸어가던 나를 어느 순간 우뚝 서게 할 만큼.

꼭 그래야 할 일이었을까

꼭 떠나야 할 일이었을까

먼저 사라진 그대

또 올 수가 없네

볼 수도 없어

죽음보다

네가 남긴 전부를

기억할게

- 이소라 7집, 'Track 8' 부분

흩어져 있던 친구들을 만났다. 세종문화회관 옆 스타벅스와 엔제리너스카페 사이 어디쯤이었다. 모두들 서로를 붙안고 이곳까지 조심히 와줘서 고맙다고, 오는 길이 힘들지 않았냐고 물었다. 다행

악적 측면에서 새로운 시도가 돋보이는 앨범이었다. 반면 삽입된 거의 모든 노래가 밴드 사운드가 강조된 록(rock)에 가까운 8집 <8>은 기존에 팝적인 발라드 곡을 주로 선보였던 이소라의 앨범들과 현격한 스타일의 차이가 느껴진다. 두 앨범 모두 새로운 이소라의 시도를 경험하고 싶은 분들에게 강력 추천하고 싶다.

이라고 속삭이며 누구도 대열에서 이탈되지 않도록 앞뒤로 나란히 서서 앞사람의 어깨를 꼭 붙들었다. 광장으로 오는 내내 경직됐던 마음이 맞잡은 손의 온기로 한결 누그러졌다.

그제야 광장에 모인 사람들이 눈에 들어왔다. 이제껏 본 적이 없는 수많은 인파로 인산인해를 이룬 그 장면은, 아마 평생토록 잊히지 않을 것이다. 오직 한 곳만을 향한 사람들의 시선이 머무른 자리, 단 하나의 구호만을 외치는 광장은 거대한 울림통 같았다. 묵직하고 느릿느릿한, 구슬픈 튜바의 선율을 닮은 구호가 두려움을 넘어 경이로움으로 다가왔다.

죽은 그가 부르는 노래

남은 이별이 슬프게 생각 나

간절히 원해

wanna lean on you

I wanna be with you

-이소라 7집, 'Track 8' 부분

Track 8의 가사 "wanna lean on you. I wanna be with

you"라는 마지막 가사처럼, "너에게 기대길 원함으로, 너와 함께하길 원함으로", 우리는 처음으로 두 발을 땅에 딛고 서 있을 수 있었다. 그곳은 재난 밖이었으며, 그토록 바랐던 안전지대였다.

나 foucs

8집 〈8〉 track 1

안목해변에 도착한 것은 정오 즈음이었다. 한낮의 해변에는 사람들이 거의 없었다. 푹푹 빠지는 모래를 밟으며, 바다를 향해 천천히 걸음을 옮겼다. 그때 몇 바퀴를 돌았는지도 모를 노래가 이소라의 8집 앨범 첫 번째 트랙으로 돌아와 있었다. 열기로 달아오른 백사장에 엉덩이를 묻었을 때 '나 focus'의 도입부가 들려왔다. 이소라의 목소리는 마치 터지기 일보 직전의 시한폭탄 같았다. 그 앨범에 수록된 모든 노래들이 그랬다. 응축되어 있던 에너지를 유감없이 발산하는 느낌이었다. 이 앨범은 이소라라는 이름으로 기대할 수 있는 노래, 그 이상의 지점에 있었다.

08. 안목해변으로 가다
- 《대가 딛고 선 자리》와 '나 focus'

드라마 〈미생〉을 좋아했다. 드라마가 끝난 지 여러 해가 지났는데도, 이 드라마가 오래도록 기억에 남는 이유는 무엇일까? 탕비실의 풍경들 때문이었다. 셔츠를 반쯤 걷어 올린 사무직 직원들이, 굽이 높고 폭신한 쿠션감을 자랑하는 사무실의 전투화인 슬리퍼를 질질 끌다시피 해 삼삼오오 모여드는 장소, 그곳은 참새가 함부로 지나치지 못하는 '방앗간'이자, 회사원이 절대로 피해갈 수 없는 '해우소'였다.

그들은 믹스 커피 한잔을 후후 불어 마시면서 잘 풀리지 않는 프로젝트에 대해, 자신을 괴롭히는 상사 험담을 은밀하게 배설하며 자신에게 주어진 잠깐의 휴식 시간을 즐겼다. 주요 출연진이 아닌, 보조 출연진들이 메우고 채워가던 공간의 여백들은 이상하게 오랜 시간이 흐른 뒤에도 기억에 남았다. 그것이 마치, 회사생활을 할 때의 내 모습 같아서였다.

*

대학 졸업 후 대부분 직장생활을 해왔다. 한 회사에 진득하게 뿌리내리거나 헌신하는 스타일은 아니어서, 짧게는 1년 반에서 길게는 3년 주기로 회사를 옮겨 다녔다. 삼십 대 이후로는 한 우물을 판 덕분에 아직까지는, 대체적으로는 이직 운이 나쁘지는 않았다고 자부한다. 가끔은 이 대체적인 운발이 언제까지 먹힐지 걱정되기도 하지만, 나름대로 경력을 인정받으며 일할 수 있는 환경에서, 주어진 일을 해나가면 밀리지 않고 제때 월급을 받을 수 있는 환경에 있었다.

공식적으로 5번째 회사였던 그곳은 복층으로 된 사무실이었다. 건물의 맨 끝 층에 있던 사무공간에서 계단을 따라 한층 더 올라가면 《빨강 머리 앤》 속 앤 셜리가 공상의 날개를 펼치며 꿈을 꾸었던 그린게이블즈의 다락방을 닮은 공간이 나왔다. 나는 회의실 겸 탕비실로 사용되던 그곳에서 아침마다 커피 한 잔을 내리며 창밖을 바라보는 시간을 가장 좋아했다. 봄이면 벚꽃, 여름이면 장맛비, 가을이면 은행잎, 겨울이면 눈발이 휘날리는 광경이 참으로 운치 있게 느껴지던 곳이었다.

2017년 7월 말, 2년 반 동안 다녔던 회사를 퇴사하던 날은 사무실의 다른 직원들보다 가장 먼저 일찍 출근했다. 파일 정리를 끝마친 바탕화면을 바라보다 갑자기 커피 한 잔을 마셔야겠다고 생각했다. 그날 사무실에서 마신 마지막 한 잔이 바로 믹스 커피였다. 미생의 주인공인 장그래의 상사이자, 만년 과장 딱지를 달고 다니는 오상식이 직장 상사인 김부련 부장에게 타줘서 점수를 얻었던 걸쭉한 커피 한 잔을 닮은.

목을 데우던 뜨겁고 찐득한 믹스 커피의 열기가 어제의 일처럼 또렷하게 생각난다. 그날은 아침부터 비가 내렸다. 퇴사 날의 동요되는 감정처럼 굵어졌다 가늘어지는 빗줄기를 하염없이 바라보았다. 그러다 강력한 비바람 한 방에 대책 없이 이지러지는 플라타너스 이파리를 내려다보며, 앞으로 내게 어떤 일이 일어날지를 설렘 반, 두려움 반으로 찬찬히 가늠했다.

*

그 무렵, 어렴풋이 책을 내고 싶다는 생각을 하고 있었다. 계획 중인 것은 인터뷰 집이었는데, 퇴사 무렵 동갑 친구 인터뷰 집을 내야겠다고 마음먹었다. 내내 숨기고 있던 마음속 생각들, 책을 쓰고 싶다는 뜻을 맨 처음 가족과 친구들에게 전했다. 그리고 함께 일하던 동료 디자이너에게도 알렸다. 사실 기획과 편집은 내 선에서 (죽이 되든 밥이 되든) 할 수 있었지만, 책을 완성하기 위해서는 (소통이 용이하면서도 재능 있는) 믿을 만한 디자이너의 손길이 절실하게 필요한 상황이었다. 그런데 일하는 내내 파트너로 손색없었던 동료 디자이너가 선뜻 책 디자인을 해주겠다는 것이 아닌가. 나는 구체적으로 내 꿈을 실현할 수 있게 됐다는 생각에 뛸 듯이 기뻤다.

마음만 너무 앞선 탓일까? 퇴사와 함께 진척될 줄 알았던 책 작업은 차일피일 미루어졌다. 퇴사 직후 큰언니 가족이 살고 있는 상해로 곧장 떠나버린 일이 한몫했다. 그곳에서 한 달 반 동안 머무르며 긴 휴식기에 돌입하면서 -한국과 상해의 거리만큼- 현실 감각은 더욱 떨어졌다. 언니네 식구와 함께 근처 공원을 산책하거나 신천지, 티엔즈팡, 와이탄, 예원 같은 관광지를 돌아다녔다. 고달팠던 회사 생활이 전혀 생각나지 않을 정도로 달콤한 시간이었지만, 마음속 한구석에는 언제나 묵직한 돌덩어리, 영화 〈기생충〉의 기우가 집착했던 수석과 같은 부담감이 자리하고 있었다.

긴 휴식을 취한 후 한국에 돌아왔을 때는 이미 가을이 한창이었다. 친한 지인들과 함께 꾸린 등산모임에 나가기 시작했다. 북한산,

노고산, 은평둘레길 등지를 돌았다. 연말 무렵, 눈 쌓인 은평둘레길을 걷다가 문득 그런 생각이 들었다. 이러다가 책을 낼 수 있을까? 책 출간을 자꾸만 미루는 이유는 무엇일까?

후에, 그것이 '두려움' 탓이라는 사실을 알게 됐다. 그저 오랜 시간 동안 글을 써왔다는 이력만으로 책을 내는 일에 있어 당위성이 부여되는 것은 아닐 테니까. 무명 중에서도 무명에 불과한 내가, 그저 책을 내고 싶다는 뜻 하나만을 갖고 책을 내는 것이 가능할까?

*

해가 바뀌고 2018년이 되었을 때, 그 일을 더 이상 미뤄서는 안 되겠다고 생각했다. 백수 생활은 점점 더 길어지고 있었고, 내겐 이 생활을 이어갈 나름의 명분이 필요했다. "그래서 책은 언제 낼 거야?", 만날 때마다 책 진행 여부를 묻는 친구들의 호기심 어린 질문도 한몫했다. 나는 자신과의 약속도 문제였지만, 가족과 친구에게 섣불리 호언장담해버린 말을 지키기 위해서라도 책을 내야 할 상황에 처했다. 물론 그 시간이 그저 고통스럽게만 느껴졌다면 책을 내지 못했을 것이다.

그때부터였다. 출판 기획안을 작성해 주변 친구들에게 정식으로 메일을 보내기 시작한 것은. 몇은 기획안을 받기도 전에 선뜻 인터뷰에 응하겠다고 했지만, 몇은 기획안을 받고도 망설이는 눈치였다. 친구가 출간하고자 하는 인터뷰 집에 인터뷰이로 참여하는 것이 정확하게 그들에게도 어떤 의미를 갖는 일인지를 헷갈려 하고 있었던 탓이다. 아무리 가까운 사이일지라도, 자신이 인터뷰이로서 참여해야만 하는 이유를 납득할 수 없다면, 책을 내는 것은 아무런 의미가 없었다. 더구나 그것이 자신을 드러낼 수밖에 없는 인터뷰의 형태라면, 어떤 이유에서든 망설여질 수도 거절할 수도 있는 것이었다. 문득, 좀 더 사려 깊게 친구들을 배려하지 못했다는 생각이 들었다.

심기일전해서 저간의 상황을 설명했다. 퇴사 무렵의 나는 너희가 생각하는 것 이상으로 지쳐 있었다고. 회사에서는 무리 없이 주어진 일을 처리해나가고 있었지만, 한편으로는 내가 하는 일에 대한 확신이 떨어졌다고. 적지 않은 나이임에도 연애도 사랑도 요원해 보이긴 마찬가지였다고. 남들이 손쉽게 밟아가는 듯 보이는 인생의 자연스러운 단계가 나에게만 어쩐지 예외가 되는 것 같아 두려웠다고. 그러다 보니 내가 두 발을 딛고 서 있는 '자리'가 허약하게만 느껴졌다고 말이다.

나는 질문을 던지고 싶었다. 삼십 대 중반을 지나 후반을 향해 나아가고 있는 우리, 내 친구들은 이 시기를 어떻게 보내고 있는지에 대해서 말이다. 동시대를 살아가는 동갑 친구들의 지난 시간은 어땠으며, 그리하여 앞으로 나의 친구들은 어떤 현재와 미래를 계획하고 꾸려나갈 것인지를, 단지 '묻고', '듣고' 싶었다. 거대한 인생의 해답을 원한 것은 아니었다. 내가 쓰고 싶은 책의 메시지 역시 그리 원대한 뜻을 품고 있지 않았다. 그저 우리가 고민하고 있는 지점들이 맞닿아 있다면, 그것만으로도 책을 낼 가치는 충분했다.

그 무렵, 독립출판 시장은 가파르게 성장 중이었고(그렇다고 믿고 싶었고), 출간 후 서점 운영진과 잘만 타진한다면(안면을 트고 관계를 여는 일이 어려운 지는 처음 알았고) 책을 선보일 수 있는 동네서점, 독립서점들이 제법 있을 것이라는 희망도 품었다(입고 거절도 부지기수로 당했고). 그렇게 제작 수량을 최소화하여, 숙원 사업 중 하나였던 책을 내겠다는 결심을 굳혔다.

*

2018년 연초는 출판 기획안을 돌리고, 인터뷰를 수락한 친구들을 만나러 돌아다니느라 분주했다. 2월 초부터 시작된 원고 작업은 3월 중순 마지막 인터뷰이였던 친구의 인터뷰를 끝으로 마무리

됐다. 그 이후부터 디자인 작업이 숨 가쁘게 이어졌다. 4월 한 달간 디자이너를 수시로 만나며 책의 구성, 디자인, 판형에 대한 아이디어를 지속적으로 교환했다. 디자이너는, 책의 저자이자 기획자로서 나조차 읽어내지 못했던 다양한 관점을 디자인으로 반영해, 단지 흑백에 불과했던 책에 붉은색의 생명력을 불어넣어줬다. 출간된 지 3년을 바라보는 지금 이 순간에도 그를 떠올리면 감사한 마음밖에 들지 않는다.

이후, 책을 유통하는 방법에 대해 알아보기 시작했다. 자비로 출간하는 독립출판으로 제작 방향이 정해진 이상, 할 수 있는 선택지는 많지 않았다. 오래전부터 블로그에 쓴 글에 애정 어린 답변을 달아주셨던 지인 분께 출판사 로고 디자인을 의뢰했다. 홍보용으로 쓸 블로그와 인스타그램 계정을 차례대로 만들었다. 마지막으로 출판 제작 과정을 SNS에 차근차근 공유하면서 입고할만한 서점 목록을 리스트업 했다. 기승전결에 입각해 홍보용 보도 자료를 썼다. 독립서점에서 원하는 도서 소개 양식이 생각보다 단출했던 것을 감안한다면, 오버의 극치를 달리는 원고지 넉 장 분량의 눈물 없이는 읽을 수 없는 대서사시였다.

몇 달에 걸쳐 이루어진 진행 상황을 '사실'에 입각해 간단히 기술한 듯 보이지만, 돌이켜보면 그 과정은 지난하고도 지난했다. 다시는 책을 내고 싶지 않을 정도로 고강도의 작업이었다.

*

인쇄를 앞둔 어느 날이었다. 인쇄 스케줄을 조정하고 있을 때쯤, 동료 디자이너에게 연락이 왔다. 인쇄소로부터 최종 가제본을 받았다고, 책을 가지러 오라는 것이었다. 그녀의 근무지였던 연남동 사무실 근처로 찾아간 나는 갈색 서류봉투 속에 고이 포장된 책을 받아들며 과하게 환호성을 질렀다. 착잡한 마음을 애써 감추기 위해서였다. 이제 곧 세상 밖으로 나올 이 책을 어떤 식으로든 책임을 져야 한다는 사실에, 책 출간의 기쁨을 온전히 만끽하지 못했다.

그러나 한편으로는 뿌듯했다. 모든 것이 전적으로 내 선택에 의해 만들어진 첫 책이었으므로. 기획자로 일하며 클라이언트의 요구사항에 하루에도 몇 번씩 널뛰기를 하던 감정, 지나가는 누군가의 말 한 마디에 사시나무처럼 흔들리는 삶을 살아왔던 나는, 처음으로 나의 컨디션만 신경 쓰면 되는 첫 제작물을 안아보게 되었다. 더구나 그것이 내가 쓰고 만든 첫 책이라는 사실이 주는 위안이 참으로 컸다. 이 책은 《내가 딛고 선 자리》라는 제목을 달고 2018년 6월 11일에 출간되었다.

가제본을 받아든 나는, 이대로 이 시간을 흘려보내서는 안 된다고 생각했다. 인쇄 및 감리 작업까지 2주 넘게 기다려야 했기에, 책을 받아온 그날 저녁, 강릉으로 가는 KTX를 예매했다. 시끌벅적한 파티까지는 아니더라도 스스로 이룩한 결과를 자축하고 싶었다.

강릉이 목적지가 된 건, 장롱 면허에 뚜벅이 신세였던 내가, KTX를 타고 갈 수 있는 가장 가까운 바다였기 때문이다. 우연히 검색한 안목해변에서의 커피 한잔이면, 파도가 잠식하는 새하얀 백사장을 배경으로 한 사진 한 장이면 족하다고 생각했다. 누구도 필요치 않았다. 그 순간엔 '나' 하나면 충분했으므로.

*

다음날 아침 일찍 서울역으로 갔다. 선글라스와 가제본만 챙긴 가방은 한껏 가벼웠다. 출발 전, 스트리밍 사이트에서 이소라의 8집 〈8〉을 담았다. 글을 쓰는 한동안은 아무 음악도 듣지 않았다. 친구들의 인터뷰를 녹음해놓은 녹취 파일에 귀 기울이느라. 혹시라도 내가 놓쳐버린 행간의 말이 있을까 싶어서였다. KTX가 강릉역에 도착하기 전까지, 오랜만에 이소라의 음악 속으로 깊숙이 다이빙할 수 있었다.

안목해변에 도착한 것은 정오 즈음이었다. 한낮의 해변에는 사람들이 거의 없었다. 푹푹 빠지는 모래를 밟으며, 바다를 향해 천천히 걸음을 옮겼다. 그때 몇 바퀴를 돌았는지도 모를 노래가 이소라의 8집 앨범 첫 번째 트랙으로 돌아와 있었다. 열기로 달아오른 백사장에 엉덩이를 묻었을 때 '나 focus'의 도입부가 들려왔다. 이소라의 목소리는 마치 터지기 일보 직전의 시한폭탄 같았다. 그 앨범에 수록된 모든 노래들이 그랬다. 응축되어 있던 에너지를 유감없이 발산하는 느낌이었다. 이 앨범은 이소라라는 이름으로 기대할 수 있는 노래, 그 이상의 지점에 있었다.

어린 시절엔 슬펐어
난 뭘 잘한 게 없었어
모든 게 힘들 뿐였어

- 이소라 8집, '나 Focus' 부분

백사장 끝에 닿았을 때, 차창 밖을 바라보며 머릿속에 내내 그려왔던 그대로 하얀 포말을 일으키는 동해바다가 보였다. 시간은 이제 막 정오를 가리키고 있었을 뿐인데도 '하염없이'라는 표현이

어울릴, 억겁의 시간이 지나버린 것 같았다. 바다를 배경으로 요란하게 사진을 찍어대던 아줌마 일행이 사라지고 나자, 그 곳에는 정말 나와 바다, 파도 소리만이 남았다. 가방 속 선글라스를 꺼냈다. 눈이 시려서, 어쩐지 눈물이 날 것 같아서. 다행이었다. 눈물이 날 것만 같은 그 순간, 원하던 대로 혼자가 되었으므로.

강렬하게 내리쬐는 햇볕이 마치 핀 조명 같았다. 나를 관통한 빛을 고스란히 느끼며 오랜만에 바다를 마주하고 섰다. 문득, 이곳이 오랫동안 꿈꿔왔던 무대였구나 싶었다. 나는 오랜만에 내 인생이라는 무대를 장악하는 주인공이 되었다. 관객은 단 한 명도 없었다. 순간, 영화 〈라라랜드〉에서 독백을 하며 자신의 꿈에 대해 노래하던 미아(엠마 스톤 役), 그 이름 그대로 미아(迷兒)가 된 기분이었다. 그나마 덜 외로웠던 것은 책 속에 담긴 8명의 인터뷰이인 친구들, 그리고 이소라의 노래가 있었기 때문이었다. 눈가에 맺히다만 눈물을 손등으로 슬쩍 훔쳤다. '나 focus'의 노랫말은 어느덧 끝을 향해가고 있었다.

오랫동안 같은 것만 기도 해왔어
자 이제 나 늘 너에게만은 잘할게 라는 말을 보여줄게
이제 더 잘하는 그런 애가 내가 될게

아껴왔던 말 날 믿어봐

궁극의 멋을 발할게

- 이소라 8집, '나 Focus' 부분

그러다 '궁극의 멋을 발할게'라는 노랫말에서 갑자기 웃음이 터졌다. 이 순간, 내가 꺼낼 수 있는 비장의 카드, 궁극의 멋이란 무엇인가? 이렇게 백사장에서 청승맞게 눈물을 흘리는 일일까? 그래, 아무리 울어봤자 바다의 짠맛보다 내 눈물의 짠맛이 더 강할까?

'그래, 이렇게 있을 수만은 없어. 이렇게 찌그러져 있는 건, 소라 언니가 말하는 궁극의 멋과는 어울리지 않아.'

신고 있던 아디다스 운동화를 벗었다. 발목 양말마저 벗고 맨발이 되었다. 청바지를 걷어붙였다. 스마트폰의 카메라를 나에게 맞추고 타이머를 설정했다. 찰칵, 찰칵. '그래, 나 이런 책 만든 사람이야.' 찰칵, 찰칵. '지켜봐. 베스트셀러를 쓰고야 말겠어.'

오랜만에 자못 비장한 심정으로 카메라를 응시했다. 얼마만의 셀카인가 싶었지만 -자기들만의 사랑의 언어를 속삭이며 해변을 산책을 하는 커플이 멀뚱한 표정으로 스쳐지나가는 가운데도-부끄러움도 잊은 채, 불어오는 바닷바람에 고스란히 몸을 맡겼다.

다행히, 깎아지른 절벽이라고 생각했던 그곳엔 보드라운 모래와, 끼룩거리는 갈매기 두어 마리가 날아오르고 있었다. 오랜만에 나는 등 뒤로 푸른 바다가 있다는 사실을 잊지 않으려고 노력했다. 그리고 오래오래 동해바다를 바라보았다.

사랑이 아니라 말하지 말아요

디지털 싱글 <그녀 풍의 9집>

나는 최악이었다. 최악의 상태에 놓여 있는 내게 최악의 상황에서도 '멈출 수가 없다'고 말하는 이소라의 목소리를 듣는 일은 선홍빛 고통 그 자체였다. 나는 그만 멈추고 싶어서 몇 줄의 일기를 썼는데, 그것이 뒤늦게 유서라는 사실을 알게 되었는데…. 멈출 수 없는 것조차 이게 내 사랑의 방식이라고 말하는 이소라의 목소리를 한 번 듣고, 두 번 듣고, 한 시간씩 듣고, 하루 종일 듣다 보니, 나는 (신기하게도) 조금씩 나아지고 있었다.

09. 여덟 번째 날

- 유서 쓰기와 '사랑이 아니라 말하지 말아요'

남자친구와 함께 점을 보러 간 적이 있다. 연남동에 있는 타로 점 가게였다. 무언가 대단한 결과를 기대하고 간 것은 아니었지만, 아예 목적 없이 가게 문을 두드린 것도 아니었다. 퇴근 후, 데이트를 하고 있던 우리는 감미로운 초여름 바람에 잠시 취했고, '날씨도 좋은데 점이라도 볼까요?'라는 제안에 평소라면 점은 봐서 뭐하려고요?라고 대답할 줄 알았던 그가 홀연, 홀린 듯 나를 따라왔다.

지상보다 꼭 반 층 아래에 있던 가게 문을 열었을 때, 친구로 보이는 두 여자가 점을 보는 모습이 눈에 들어왔다. 그들은 예기치 않은 낯선 손님의 등장에 -좀 전만 해도 우렁찼던- 목소리 볼륨을 차츰차츰 줄여갔다. 얼핏 건너오는 대화의 내용으로 미루어 보건대, 원했던 혹은 기대치 않았던 질문에 대한 답을 들은 것 같았다. 다행이었을까. 다른 대기자가 없었던 탓에 우리는 곧장 자리에 앉을 수 있었다.

"궁합 보시려고?"

"네. 저희 둘이 결혼하면 잘 살지 궁금해서 왔습니다. 자알 좀 봐주세요."

영업직에 종사하는 남자친구는 거래처 고객을 대하듯 한껏 미소를 머금은 채 말했다. 들어올 때, 살짝 경직됐던 표정은 간 데 없이 매끈한 말투였다.

"나야 뭐, 나오는 대로 말해줄 뿐이라서."

타로 전문가? 점쟁이? 내내 뭐라고 불러야 할지 애매모호했던 중년 여성은 짐작건대 그렇게 호락호락한 사람이 아니었다. 나는 왠지 그 점이 마음에 들었다.

*

남자친구는 점을 보는 일에 평소 부정적인 반응을 보이는 편이었다. 일단 사람의 인생을 점괘에 의존하는 것이 별로라는 것이 첫 번째 이유였고, 두 번째 이유는 이런 것이었다. "궁합을 봤는데, 결과가 나쁘면 어떡할 건데요? 나랑 헤어질 거예요?"와 같은 것이었다.

그는 사주팔자만으로는 가늠하기 어려운 평균치의 운명 값에 휘둘리기보다, 운명에 거슬러 삶을 개척해나가고 싶어 하는 스타일이었다. 그와 만난 지 2년이 넘은 지금도 나는 남자친구의 그 점이 마음에 들었다. 그러니까 그날 점을 보자고 한 것은, 그가 오래도록 꿈꿔왔던 운명의 상대인 지를 가늠하기 위해서가 아니었다. 그보다는 우리가 대체적으로 맞는/맞추어갈 수 있는 여지가 있는 사람인지를 '궁합'적으로 확인하고 싶었던 것이다.

우리는 책정된 가격표를 살피다가 각자의 사주와 함께 더불어 커플 궁합을 보기로 했다.

"이 가격에 전체적으로 사주를 봐주는 데는 거의 없어요. 운이 좋은 커플이네요."

이때만큼은 그녀가 속이 빤한 장사꾼처럼 보였다.

"자, 그럼 누구부터 볼까나?"

그러나 안경알 너머 눈빛을 반짝이던 그 순간만큼은, 마치 그녀가 우리의 앞날을 거머쥔 운명의 점성술사처럼 보였다.

*

점괘는 대체적으로 무난한 결과를 받았다. 원래 그런 건지 모르겠지만 우리는 거의 질문을 하지 않았다. 사주가 말하는 방향을, 우리는 솜씨 좋은 해석자인 점쟁이에 의해 간단히 읽혔다. 우리는 대체적으로 여러 면에서(몇 가지를 제외하고) 무난하다는 것을 '궁합'적으로 인정받았다. 사실, 그날 들었던 대부분의 이야기는 기억 속에서 재빨리 휘발되었지만, 점쟁이로부터 들었던 단 하나의 질문만큼은 또렷하게 기억난다.

"사주에 여자분은 어렸을 때 죽을 뻔했던 경험이 있었던 걸로 나오네요. 살아오면서 그런 특별한 경험을 한 적이 있어요?"

대체적으로 각자의 사주를 읊는 것에 가까웠던 점쟁이가 급작스레 던진 질문에, 문득 고개를 들었다. 그녀의 눈빛은 처음 그대로 한 점 흔들림이 없었다. 나 역시 부러 주눅 들 필요가 없었다. 그녀가 던진 질문처럼 죽을 뻔했던 경험이 있긴 했으므로. 입으로는 열한 살, 열아홉 살에 겪은 교통사고의 기억을 읊었지만, 이상하게도 머리로는 온통 한 시기를 떠올리고 있었다.

"그런데, 그 일은 당신이 반드시 거쳐야 했던 과정이었어요. 액땜 제대로 했다고 생각해요."

*

두 번의 교통사고가 내게 안긴 감각은 죽음이 우리의 삶과 그다지 멀지 않다는 것이었다. 그러나 2016년의 여름과 가을 사이에 겪은 느낌은 그 결이 조금 달랐다. 죽음이 내 곁을 서성이고 있다는 사실을 어렴풋이 느끼고 있었다.

그래서 자주 유서를 썼다. 남길 재산 따윈 쥐뿔도 없지만, 나의 모든 재산을 누군가에게 남기겠다와 같은 종류가 아니었다. 처음에는 어느 때마다 떠오르는 심상한 감정을 노트 위에 적었다. 후에, 노트에 쓴 몇 줄의 문장이 곧 유서를 닮았음을 깨달았다. '유서'라고 지칭할 때, 누군가는 단어 그 자체의 뜻으로 무겁게 인식할 수도 있을 것이다. 그러나 나는 죽고 싶어서가 아니라 살기 위해서 '썼다.'

'이번 생은 텄다'는 자각을 할 때가 있다. 매끄럽게 목적지를 향해 달려가는 버스 안에서, 혹은 꿈도 없는 단잠을 자고 깬 어느 아침의 침대 위해서. 나를 비껴 선 시간이 서둘러 찾아왔으면 좋겠다는 생각. 접시 물에 코를 박고 어푸어푸 숨을 쉬는 무지렁이 같은 나. 마음으로 태어났기에 상처받지 않을 수 없다. 유리로 만들어졌다면 깨지지 않을 재간이 없듯이. 돌이 될 수 있을까? 고요한 산 중에 묻힐 수 있을까? 사랑하는 것들에서 멀어지는 상상만 한다.

- 첫 번째 유서

황인찬의 시를 읽다가 울 뻔했다. 실은 울었다. 미소 짓기가 어렵다.

늙은 엄마에게 힘이 든다고 말했다. (견딜 수 없다는, 혹은 다 놓아버리고 싶다는.) 괄호 안의 말은 차마 하지 않았다. 엄마는 사는 것이 다 그렇다고 말했다. 비틀거리는 글씨에 나의 모든 것이 담겨 있다.

- 두 번째 유서

유서를 쓴다는 것이 어떤 의미인지도 모르고 끄적거린다. 살아있는 한 도저히 멈출 수 없을 것 같은 상념의 나날들이 있다. 그런 것이 아닐까. 유서는 죽기 위해서가 아니라 살기 위해 쓰는 것이다. 오늘은 오랜만에 영등포에 갈 힘이 남아 있었다.

- 세 번째 유서

사랑하는 이들이 사랑할 수 있을 때, 일하는 이들이 일할 수 있을 때, 우리가 할 수 있는 것을 할 수 있게 되었을 때, 온 마음을 다해 응원하고 싶다. 그들을 응원하는 일은 곧 나를 응원하는 일일 테니까.

- 네 번째 유서

'보고숲다'. 이 말은 사투리의 억양을 하고 있지만, 실은 내가 하루에도 수십 번씩 오가는 숲의 이름이다. 나는 이 숲에 너무 많은 것들을 묻거나 봉인시켰다. 해서는 안 되는 말, 보고픔을 참아야 하는 순간들, 꾹

꾹 눌러 담아 종내는 터져 나오는… '보고싶다'.

- 다섯 번째 유서

나무를 보았다. 실은 나무를 보려고 했던 것은 아니고, 나무가 떨군 늦여름 햇볕에 타버린 누렇게 변색된 잎을 보았다. 근데 나무는, 나무는 그 잎을 떨구고도 너무 푸른 것이어서, 푸르기만 한 것이어서 눈물이 날 것처럼 강인해 보여서, 나무를 닮을 수 있다면 좋겠다고 생각했다. 저 크고 푸르른 나무를.

- 여섯 번째 유서

무너질 것 같다,라고 말했지만 무너진 적은 없다. 그저 비틀거리는 내 자신에 좀 더 익숙할 뿐. 또박또박 글씨를 써보려 하지만 인위적이다. 또박또박의 함정. 흔들리고 비틀리는 것이 정상적일지 모른다.

- 일곱 번째 유서

이렇듯 '유서'라고 이름 부쳐진 짧은 메모를, 몇 개월에 걸쳐 썼다. 그때는 아무것도 할 수 없었다. 아무것도 하고 싶지 않았다. 가까스로 회사에 갔다가 집에 돌아오는 것이 일상의 전부였다. 누군가와 연애를 하는 일도, 친구를 만나 대화를 하는 일도, 의미 있는 것을 찾기 위해 노력하는 일은 물론, 밥을 먹고 똥을 사는 일마저 무의미하게 느껴졌다. 지친 듯 쓰러져 잠이 들었다. 눈을 뜨면 아침이었고, 눈을 감으면 밤이었다.

겨우겨우 안간힘을 짜내어 무언가를 썼다. 톡톡한 종이 위에 닿는 펜의 질감마저 느낄 수 없는 지경에 이르면, 고삐 풀린 나의 영혼마저 붙잡을 수 없을 것 같아서였다. 살아 있다는 감각을 잃지 않고자 쓰는 것이, 고작 '유서'라는 것이 황망했지만 별 수 없었다. 나는 이러나저러나 나약한 인간이었다.

*

그런데 그 해 11월, 기적처럼 이소라가 〈그녀 풍의 9집〉을 발매하며 돌아왔다. 9집을 염두하고 선보인 단 한 곡의 디지털 싱글 음원이 담긴 앨범이었다(안타깝게도 9집은 미완성이다). 그 앨범에는 가수 김동률이 작사, 작곡한 노래 '사랑이 아니라 말하지 말아요'가 수록되어 있었다. '그녀 풍'이라니, '이소라다움'이라니. 나는 지체 없이 플레이버튼을 눌렀다.

내 사랑이 사랑이

아니라고는 말하지 말아요.

보이지 않는 길을 걸으려 한다고

괜한 헛수고라 생각하진 말아요.

내 마음이 헛된 희망이라고는

말하지 말아요.

정상이 없는 산을 오르려 한다고

나의 무모함을 비웃지는 말아요.

- 이소라, '사랑이 아니라 말하지 말아요' 부분

노래를 듣고 나서 나도 모르게 '진짜, 거지같다. 언니, 이제 그만 좀 해요'라고 내뱉었다. 이소라가 자신 있게 내세운 '그녀 풍'의 노래가 이제는 지긋지긋해진 탓일까? 앨범 명처럼, 이제껏 그녀가 낸 앨범 속, 자기 노래의 복제에 가까운, 혹은 자기 연민을 넘어 마치 자기 운명으로 받아들이겠다는 날 것의 가사가 못내 견디기 어려워서였을까?

그보다는 반대에 가까웠다. 노래를 듣고 마치, 아무에게도 들키지 않았던 나의 내밀한 구석을 들킨 것 같았다. '보이지 않는 길을 걷는 것', '정상이 없는 산을 오르려 하는 것', 이와 같은 무모한 선택이 이끈 곳이 바로 '길 잃어버림'을 넘어선 '길 없음'의 상태였기 때문이다.

그대 두 손을 놓쳐서
난 길을 잃었죠.
허나 멈출 수가 없어요.
이게 내 사랑인걸요.

- 이소라, '사랑이 아니라 말하지 말아요' 부분

나는 최악이었다. 최악의 상태에 놓여 있는 내게 최악의 상황에서도 '멈출 수가 없다'고 말하는 이소라의 목소리를 듣는 일은 선홍빛 고통 그 자체였다. 나는 그만 멈추고 싶어서 몇 줄의 일기를 썼는데, 그것이 뒤늦게 유서라는 사실을 알게 되었는데…. 멈출 수 없는 것조차 이게 내 사랑의 방식이라고 말하는 이소라의 목소리를 한 번 듣고, 두 번 듣고, 한 시간씩 듣고, 하루 종일 듣다 보니, 나는 (신기하게도) 조금씩 나아지고 있었다.

*

그 해 여름과 가을을 지나 겨울을 맞이했다. 그리고 다가올 봄을 어렴풋이 예감하고 있었다.

점점 혼자 무언가를 하는 일이 편하고 익숙해지는 기분이다. 초탈한 가운데, 머리 위로 둥실 떠오르는 풍선 같은 생각을 가만히 바라보는 중이다. 연말이고, 내가 정말 사랑하는 공간인 서점에서 몇 시간 머물렀고, 그리고 이제는 내가 더 이상 어리지 않은 기분이다.

- 여덟 번째 유서, 2016-12-10

몇 년 후, 이사 준비를 위해 책장 정리를 하다가 오랜만에 그 시절에 내 영혼의 일부가 되어주었던 노트를 발견했다. 비장하게 써 내려갔던 날 것의 메모들을 하나씩 읽어내려가다가 한 가지 사실을 깨달았다. 첫 번째부터 일곱 번째 유서까지 연도 표기만 했을 뿐, 별도로 날짜를 쓰지 않았다는 것을.

그래서일까. 그날의 감정 상태만을 가늠할 수 있을 뿐, 어떤 하루를 살았는지 제대로 기억나지 않았다. 마치 과도로 사과의 상처 난 부위를 깨끗하게 도려낸 것처럼, 그 시절을 내 인생에서 몽땅

도둑맞은 것처럼.

하지만 여덟 번째 유서는 달랐다. 처음으로 날짜를 기재했던 덕분일까. 2016년 12월 10일이었고, 그날 내가 입었던 옷이 브라운 계통의 모직 코트였으며, 그 안에 검은색 주름치마를 받쳐 입었음을 분명히 기억한다. 퇴근 후, 사무실 근처의 편집숍에서 꽤 큰돈을 주고 검은색 크로스백을 구매했다는 것을, 연말의 서점에서 박정대 시인의《그녀에서 영원까지》시집을 구매한 후, 창밖으로 날리는 눈발을 바라보며 더 이상 내가 어리지 않음을 자각했다는 사실을 어제의 일처럼 또렷이 감각할 수 있게 되었다.

감각한다는 것은 무엇일까? 바로 살아있음이자, 길 없음에서 길 찾음의 상태로 전환되었다는 신호이기도 하다. 그리고 이제 여덟 번째 날을 지나, 나의 연인과 새로운 계절을 약속할 수 있게 되었다.

신청곡

디지털 싱글 〈신청곡〉(feat. SUGA of BTS)

'신청곡'의 노랫말을 복기하다 보면, 그녀를 아낀다고 자부하면서도 이소라가 어떤 현재를 살고 있는 줄도 모르는, 어떤 미래를 살아갈지 예측하지도 못하는 한 무지몽매한 팬의 얼굴이 떠오를 뿐이다. 그리고 이소라가 그때, 그 시절 왕성하게 활동하던 때로 돌아와, 미처 소개해주지 못했던 내 사연을 그녀의 목소리로 읊어주었으면 좋겠다는 생각이 드는 것이다.

10. Hey, DJ! 돌아와요, 이곳으로
- 〈이소라의 음악도시〉와 '신청곡'

이소라가 누구보다 왕성하게 방송 활동을 하던 시기가 있었다. 바로 〈이소라의 프로포즈〉[1]와 더불어 〈이소라의 음악도시〉[2]를 동시에 진행할 때였다. 그 시기는 2000년대 초반 단 1년에 불과했지만, 그 시절의 이소라는 뭔가 가장 개인적인 것을 추구하는 성향의 아티스트가, 공과 사를 엄격하게 구분해, 자신이 갖고 있는 기운 이상으로 에너지를 쓰며 과하게 대중과의 접점을 만들고자 노력하는 듯, 다소 안쓰러운 느낌을 들게 하던 때였다. 그렇다고 팬으로서, 이소라가 방송 일을 사랑하지 않았다고 느끼는 건지를 묻

---

1 1996년 10월부터 2002년 3월까지 방영된 KBS 2TV의 음악 토크쇼 프로그램이다.

2 2001년 4월부터 2006년 4월까지 故 신해철, 유희열에 이어 3대 시장으로 이소라가 진행한 라디오 프로그램이다. 이후 개편을 통해 폐지되었으나, 2011년에 부활, 2014년까지 4대 시장으로 성시경이 진행했다.

는다면, 단연코 'NO'다. 사랑하는 대상이 있다고 해서 모든 사람들이, 그 대상을 위해 백 퍼센트 에너지를 쓸 수 없는 것과 마찬가지라고 말하고 싶은 것이다.

25년간 음악 활동과 더불어 부지런히 방송 활동을 해온 이소라를 지켜보면서, 그녀의 MC 및 DJ 스타일의 특징은 세 가지로 압축됐다. 유려하진 않지만 특유의 느릿느릿한 말투로 관객에게 편히 다가간다는 점, 대체로 사려 깊으나 자신이 하고자 하는 말을 기어이 관철시키고야 만다는 점, 그러다가 어느 순간 주체할 수 없이 툭 터져버리는 웃음소리로 상대를 무장해제 시킨다는 점이 그렇다. 그렇게, 이소라는 총 5년이란 시간 동안 〈이소라의 음악도시〉, 그 시절 청취자들에게는 '음도'로 익숙한 음악도시의 제3대 시장으로 청취자들의 밤과 새벽의 감성을 책임졌다.

무언가 뜻대로 풀리지 않는 날이면 〈이소라의 음악도시〉를 청취했다. 뜻대로 되지 않는 연애, 풀리지 않은 일, 보이지 않는 미래를 잠시 잊게 해주는 건 대체로 무의미하거나, 비이상적인 것들이 차지할 때가 많았다. DJ 이소라는 무수히 날아오는 사연들을 담담한 내레이션으로 풀어내고, 과하지 않게 위로의 말을 건네는, 최적의 DJ로 손색이 없었다. 그랬기에 2006년 라디오 프로그램 봄 개편을 맞아 비보처럼 전해진 이소라의 하차 소식은, 대학교 졸업과 함께 미친 듯이 이력서를 넣고 있던 내게 먹먹한 슬픔과 크나큰 아쉬움으로 다가왔다.

*

졸업 후 두 달 만에 얼렁뚱땅 취업이 됐다. 대학 시절 내내 "나는 루저야. 절대로 회사생활을 할 수 없을 거야"라는 말을 무던히 입에 달고 살던 내가 내린 결정에, 모두들 '의외'라는 반응을 보였다. 그러나 그때는 모든 확신에 찬 말이 두려웠다.

무엇보다 시골에서 농사를 지으며 자식 뒷바라지만 하느라 평생 고생만 하신 부모님에게 '대학원에 가서 공부를 더하고 싶다고, 소설가로 등단할 때까지 지원을 해달라고' 말할 수 없었다. 그뿐인가. '엄마, 아빠. 내가 원하는 것은 대체적으로 무용해 보이는 그런 것들'이라고 말하며 뻔뻔하게 신세를 질 수 없었다. 졸업 전, 학과 교수님의 제안대로 조교로 활동하며 생활비를 버는 방법도 있었지만, 그때는 학교를 떠나 세상 밖의 일을 경험해야 한다고 생각했다.

다행히, 첫 회사는 동년배의 젊은 선후배가 많은, 일적으로는 충분히 재미를 느끼던 회사였다. 출근과 동시에, 팀의 막내였던 내가 하던 일은 각종 출판사에서 보도자료 용으로 날아오는 신간들을 부서별 관리자들에게 전달하는 일이었다. 신간 분석이 끝난 책들 중, 절반 이상이 내게 고스란히 돌아왔다. 나는 마음에 드는 일정량의 책을 눈치 보지 않고 소장할 수 있었다. 그러나 그 회사의 최대 단점은 과중한 업무량에 비해 월 급여가 백만 원도 되지 않았다는 것이다. 그러다 과도한 사업 추진으로 인한 손실을 대대적인 인원 감축으로 보전할 때, 돌연 팀원 몇 명과 함께 잘렸다. 그 여파 탓인지 이듬해 봄까지 취업이 안 돼 마음고생을 심하게 겪었다.

다음 회사를 준비하는 과정은 녹록지 않았다. 아끼고 아껴 쓰던 마지막 월급까지 먼지 한 올 남김없이 털털 털린 후 고향집에 전화를 걸던 그날, 그 밤은 거짓말 조금 보태 죽고 싶을 정도로 비참한 심정이었다. 수십 번 고민을 하던 끝에 아빠에게 전화를 걸었다. 수화기 너머로 들려오는, 낮 동안의 고된 노동으로 저녁잠이 깊숙이 들었던 아빠의 잠긴 목소리를 듣자마자 돌연 울음이 터졌다. 와락 터진 딸의 울음소리에 깜짝 놀란 아빠는, 세 딸을 둔 부모임에도 딸의 울음을 멈추는 방법을 잘 모르셨던 탓에- 엄마를 바꾸어주었다.

엄마는 내게 자초지종을 물었고, 꺼이꺼이 숨이 넘어가는 목소리로 돈이 다 떨어졌다고 대답했다. 엄마는 "네가 천애고아냐, 돈 없다고 울긴 왜 우노? 단단히 살아야 한다. 물러터지지 말고." 나를 어르고 달랬다. 아빠는 다음날 지체 없이 돈을 송금해주며 말했다. "네가 말도 않고 그렇게 서럽게 울어버리면, 아빠는 그 밤에 너를 보러 갈 수도 없는데 어떻게 해야 하노?" 나는 또 한 번 울고야 말았다.

그날 통장에 찍힌 금액의 액수만큼은 정확하게 생각난다. 삼십만 원, 한 달 치 용돈이었다. 그 이후 잡지사의 에디터로 취업이 되면서, 더 이상 부모님에게 손을 내밀지 않아도 됐다. 하지만 돈은 이상하게 써도 써도 항상 모자랐다. 돈은 잘 모이지 않았고, 마치 통장에 구멍이라도 숭숭 뚫린 것 같은 날들은 삼십 대가 된 후에도 여전히 반복됐다.

*

어느 날엔가 그날의 심경을 담아 라디오에 사연을 보냈다. 이후에도 몇 번인가 무용한 시도들이 이어졌다. 그러나 내가 보낸 사연은 단 한 번도 방송을 탄 적이 없었다. 내 사연은 눈물이 쏙 나올 만큼 드라마틱하지 않거나, 청취자들이 배꼽을 쥐게 할 정도로 유머러스하지 않아서인지도 모른다고. 어쩌면 나의 사연에는 비견할 수 없는 더 큰 슬픔과 웃음이 도처에 널려 있어서인지도 모른다고 말이다. 그러다 가끔 그런 생각을 했다. 이미 끝나버린 〈이소라의 음악도시〉에 사연을 보냈다면 어땠을까? 하지만 한동안 이소라를 라디오에서 만날 수는 없었다.

2008년 이소라는 〈오후의 발견〉이라는 프로그램의 DJ로 다시 돌아왔지만, 2009년 가을 개편에 폐지되었다. 2013년 4월에서 12월까지, 최단시간 진행한 〈이소라의 메모리즈〉도 그랬다. 섣부른 단정일지 모르겠지만 이소라는 오전도 오후도 아닌 밤과 새벽에 어울리는 감성을 가진 DJ라고 확신했다. 그래서일까. 이후, 이소라를 라디오 DJ로 만날 기회는 점점 더 사라져갔다. 10년이라는 세월이 훌쩍 지나는 동안, 이소라는 〈나는 가수다〉, 〈이소라의 두 번째 프로포즈〉, 〈비긴 어게인〉와 같은 TV 프로그램에 얼굴을 비추긴 했어도, 라디오와의 접점은 쉽사리 이루어지지 않았다.

*

2019년 1월, 이소라는 햇수로 데뷔 25주년을 맞이해 디지털 싱글 〈신청곡〉을 발매했다. 라디오 전성기 시절의 이소라, 〈이소라의 음악도시〉를 생각나게 하는 제목의 노래였던 데다, 〈그녀 풍의 9집〉 이후로 오랜만에 선보이는 신곡이라 음원 발매 소식이 더욱 뜻깊게 다가왔다. 더구나 노래의 피처링을 2020년 현재, 전 세계 음악 시장을 휩쓸고 있는 BTS의 메인 랩퍼인 슈가가 맡았다고 해서 더욱 눈길이 갔다.

그뿐인가. 이소라는 자신이 부르는 거의 모든 노래를 직접 작사하는 가수다. 그런데 유독 이 디지털 싱글에서만큼은 젊은 뮤지션이 넉넉하게 파고들 품을 내줬다는 생각이 들었다. 사실 이 노래가 지금 시대의 트렌드를 제대로 반영한, 가장 현재적인 스타일이라는 느낌은 들지 않았다. 오히려 기존에 이소라가 발매한 정규앨범에서 보여주던 과감한 시도가 다소 반감된 전형적인 발라드풍의 노래라는 느낌을 주었다.

'신청곡'은 듣다 보면, 자꾸만 듣게 되는 매력이 있다. 이 노래를 부를 때만큼은 이소라가 '개인가요'에서 '대중가요'를 부르는 가수로 점프한 느낌이랄까. 모든 것을 시각적으로 풀어내는 영상 시대에, 이미 지나가버린 라디오 시대를 추억하는 노래처럼 느껴져서인지도 모르겠다. 마치 퀸이 '라디오 가가(Radio Ga Ga)'를 통해 보여주고 싶었던 라디오 시대의 향수가, 마치 지금의 시대에도 고스란히 이어져 2018년에 개봉한 영화 〈보헤미안 랩소디〉가 센세이셔널 하게 인기를 끌었던 일처럼 말이다. 우리는 여전히 지나가버린 어떤 시간을 그리워하고, 우리가 함께 공감하며 감응했던 시대가 쉽사리 저물지 않기를 소망하는 느낌이랄까.

'신청곡'의 노랫말을 복기하다 보면, 그녀를 아낀다고 자부하면서도 이소라가 어떤 현재를 살고 있는 줄도 모르는, 어떤 미래를 살아갈지 예측하지도 못하는 무지몽매한 팬의 얼굴이 떠오를 뿐이다. 그리고 이소라가 왕성하게 활동하던 그때, 그 시절로 돌아와 미처 소개해주지 못했던 내 사연을 그녀의 목소리로 읊어주었으면 좋겠다는 생각이 드는 것이다.

다소 난감한 것은, 내 사연은 그때와 크게 달라져 있지 않았다. 여전히 인생은 대체적으로 슬프고, 여전히 내 앞에 주어진 삶이 오리무중이라고 느껴진다. 그나마 다행인 것은, 이소라 역시 그때와 크게 달라지지 않았다는 것이다. 그녀는 여전히 자주 불안정한 낯빛으로 인터뷰를 하고, 노래를 부른다.

(문득, 이 글을 쓰며 언젠가 자신에 대해 다룬 이 책을 읽게 될 이소라의 얼굴을 떠올린 적이 있다. 하지만 끝내, 내가 확신할 수 있는 건 단 한 가지다. 이소라는 이 책을 읽지 않을 가능성이 아주 크다는 것이다.)

*

삼십 대가 저물어가는 나이가 된 지금이 되어서야 조금은 알 것 같기도 하다. 내가 원하는 삶이란, 대체적으로 미소를 띤 채 살아가는 것이라고. "Hey DJ play me a song to make me smile. 마음이 울적한 밤에 나 대신 웃어줄 그를 잊게 해줄 노래"를 동시대를 살아가는 팬으로써, 다시 한번 그녀의 음색으로 듣고 싶다고 말이다.

추억에 취해서 누군가를 다시 게워낼 때
그때야 비로소 난 당신의 음악이 됐네

그래 난 누군가에겐 봄 누군가에게는 겨울
누군가에겐 끝 누군가에게는 처음

난 누군가에겐 행복 누군가에겐 넋
누군가에겐 자장가이자 때때로는 소음

함께 할게 그대의 탄생과 끝
어디든 함께 임을 기억하기를
언제나 당신의 삶을 위로할 테니
부디 내게 가끔 기대어 쉬어가기를

- 이소라, '신청곡' 부분(feat. SUGA of BTS)

음악 산업의 트렌드를 주도하는 BTS의 멤버인 슈가의 피처링 파트를 듣다 보면, BTS로 대변되는 지금 이 시대가 감지하는 '이소라'라는 텍스트가 고스란히 읽힌다. 사실, 이런 어려운 말을 차지하고서라도 그녀의 나직한 음색과 어우러져 담담한 하모니를 이루어내는 이 노래를 들을 때만큼은, 아무것도 읽히지 않으려 노력하지만 기어이 읽히고야 마는 이소라가 지금, 어디에 있는지 알 것만 같다.

그러니까 그녀는 지금 이 변화무쌍한 시대의 밤과 새벽 사이 어디쯤엔가 여전히 건재해 있다.

시시콜콜한 이야기

6집 <눈썹달> track 12

마음껏 사랑하세요. 사랑이 남는 장사입니다.

여자가 남긴 메시지는 결국, 급히 화장실을 갔다가 매출 외에 연예인의 '연'자도 관심이 없는, 오로지 30년이 넘는 시간 동안 '맛' 하나로 승부해온 사장님에 의해 간단히 쓰레기통으로 들어갔다.

에필로그

이소라를 좋아하세요?

- 이소라를 위해 쓴 실패한 팬픽, '시시콜콜한 이야기'

이소라가 실종됐다.

요즘 한창 상한가를 달리고 있는 프로리그 축구선수와 스캔들에 휘말린 MBS 간판 아나운서는 이소라의 실종을 담담한 어조로 알렸다. 삭발을 한 최근 모습이 자료화면으로 떴는데, 일반인 연인으로 짐작되는 남자와 해외여행에서 돌아오는 모습을 디스XX에서 찍은 것이다.

그녀의 연애사는 슬픈 가사의 노랫말을 통해 간접적으로 공개되었을 뿐, 언론에 직접적으로 노출된 적은 단 한 번도 없었다. 그 탓에 배우 K의 미투 파문이 일어나기까지 반나절 정도 대형 포털사이트 검색 순위 상위에 랭크되어 있었다.

사진 속 그녀는 미간을 구긴 채 카메라를 노려보고 있다. 오른손 가운뎃손가락이 그날의 심경을 대변하는 듯 한껏 치켜 올라간

채로. 보라색 매니큐어를 바른 손가락은 다행히 모자이크 처리되었지만, 연인으로 추정되는 남자의 얼굴은 고스란히 공개되었다. 남자의 얼굴은 영화 '살인의 추억'의 마지막 장면에서 송강호의 질문에 천진하고 심드렁하게 응했던 소녀의 대답처럼 '평범'했다.

*

이소라는 몇 년 간 드라마 OST 발매 외에 별다른 앨범 활동 없이 두문불출했다. 그녀가 데뷔 30년 만에 9집 앨범 발매와 함께 심야에 방송되는 음악 프로그램의 진행을 맡게 되었을 때만 해도 팬들은 반색하는 눈치였다. 첫 방송에서 선보인 그녀의 검은 생머리와 드레시한 옷차림은 전성기 때의 모습을 상기시켰다.

하지만 긴 머리가 짧은 머리로 변하는데, 드레시한 옷차림이 록시크한 옷차림으로 변하는데 까지는 채 두 달도 걸리지 않았다. 그녀는 자신이 추구하는 음악적 색깔과 자신이 진행하는 프로그램의 성격이 잘 맞지 않는다며 종종 실언했다. 자신은 이제부터 사랑, 이별 노래를 더 이상 부르고 싶지 않다고 투덜거리기까지 했다.

그녀의 인터뷰는 다시 한번 이슈가 되었다. 이후 진행을 맡고 있던 음악 프로그램에 출연한 전직 아이돌 출신 여가수와 대기실에서 언성을 높이며 싸웠다는 구설수에 휘말렸던 그녀가 음악 프로그램에서 중도 하차하기까지 채 반년도 걸리지 않았다.

하지만 대중은 그녀의 독특한 행보에 익숙했다. 데뷔 이후로 그녀는 대중의 인식 속에 그렇게 머물러 있었다. 사람들은 그녀의 성격 그 자체마저 하나의 캐릭터로 치부하는 경향이 있었다. 그녀의 골수팬마저도 저런 대책 없는 성격이야말로 아티스트의 진면목이라고 추켜세웠다. 하지만 그녀를 잘 아는 사람들조차도 때로는 고개를 갸웃거리곤 했다.

그러니까, 아무리 생각해도 말이다.

도대체 자기 노래를 부르다 말고 울음을 주체하지 못하고 뛰쳐나가는, 때로는 이별 노래를 부르지 않겠다는 치기 어린 고백마저 어린아이의 투정처럼 여겨지는 이 가수를 도대체 왜 좋아하는 것일까? 그런, 그녀가 어떤 이유로 실종된 것일까?

*

여자는 안경 너머 두 눈을 동그랗게 치켜뜨고 친구 성란의 얼굴을 쳐다보았다. '어쩌려고 그랬니?'라는 성란의 질문이 다소 무의미하게 느껴졌기 때문이다.

"그래서 전부 정리하겠다고?"

성란은 딱하다는 듯 여자를 바라보았다.

"도대체 왜?"

여전히 이해가 안 된다는 얼굴로 힘없이 술잔을 삼켰다. 여자는 불판 위, 가장 자리부터 익기 시작한 고기 한 점을 성란의 접시에 올리다 말고 "이모, 여기 불판 좀 갈아 주세요"라고 큰소리로 외쳤다.

시원한 여자의 목청에, 건너편 테이블에서 소주를 연거푸 들이켜던 중년의 사내가 힐긋 쳐다보았다. 불콰하게 술이 오른 그의 시선을 피하면서, 여자는 코에 걸려 있던 빨간색 뿔테안경을 고쳐 썼다.

"원래부터 내가 변덕이 죽 끓듯 했잖아."

"그렇지. 네가 그런 변덕마저 없었으면 시체긴 한데 말이야."

까칠하게 되쏘는 성란은 무역회사의 영업 관리팀에서 만년 과장으로 일해 왔다. 근속 기간만 이십 년이 넘는 베테랑 중의 베테랑이지만, 한자리에서 몇 십 년을 버틴다는 것은 생각처럼 쉬운 일이 아니다. 성란은 일을 할 때만큼이나 말을 함에 있어서도 에두르는 법이 없었다. 그런 성미를 모르는 바는 아니었지만, 여자는 자신이 내린 결정에 친구의 전폭적인 응원을 받고 싶었다.

"나, 곧 있으면 근속연수 30년 차야. 이만하면 할 만큼 했어. 그나저나 성란이 너라면 이런 결정을 존중해 줄 거라고 생각했는데…."

이렇게까지 저간의 사정을 구구절절 설명해야 하나 싶은 낭패감이 돼지 부속물의 누린내처럼 끈끈하게 달라붙었다. 여자는 고기 표면에서 자글자글 끓어오르는 기름을 한참 내려다보았다. 무언가를 입속에 넣어 잘근잘근 씹고 짓이겨 뱃속으로 욱여넣고 싶다는 욕망이 간절했는데, 입맛이 달아나는 기분이었다. 그러거나 말거나 성란은 고기를 오독오독 씹으며 말했다.

"고깝게 듣지 마. 사는 게 이 고기 심줄처럼 얼마나 질긴데…. 숙명이니, 운명이니 내 평생 가야 잘 써먹지도 않는 말까지 들먹거리며 열심히, 진짜 뭣 빠지게 해왔던 일을 갑자기 그만두겠다고 하니까…. 솔직히 말해서 네 재주가 아까워서 그런다, 나는."

여자는 성란을 쳐다보았다. 성란의 얼굴을 또렷하게 쳐다본 것은 참으로 오랜만이었다. 친구란 자신의 거울이라고 했던가. 눈가에 잡힌 굵은 주름을 보며 지나온 세월을 실감했다. 보톡스의 힘이 아니었다면, 여자의 얼굴 역시 저와 비슷한 형태로 나이 들어갔을 것이다. 하긴, 이제는 보톡스의 영험함도 잘 받지 않는다. 입가의 팔자 주름도 깊어진지 오래다. 여자는 성란의 빈 소주잔에 술을 떨구며 말했다.

“이래서 하성란, 내가 널 좋아한다니까.”

지금이야 아무렇지 않지만, 성란의 직설적인 화법에 적응이 안 되어 마음의 상처를 받던 날들이 있었다. 좋아했던 사람에게 고백했다가 거절당했다고 말했을 때였나? 마스카라가 잔뜩 뭉개진 검은 눈가를 바라보며 성란이 이죽거렸다.

- 아직도 남자란 족속한테 쏟을 열정이라는 게 남아 있는 거야?

그때도 고기 누린내를 뒤집어써가며 소주잔을 기울였다. 헛헛해진 속을 채우는 데는 짐승 장기만한 게 없다는 성란의 표현에, 여자는 쫄깃쫄깃해진 막창을 기름장에 찍었다. 씹으면 씹을수록 고소해지는 식감에, 언제 그랬냐는 듯 실연의 시름이 시름시름 잦아드는 듯도 했다. 2차로 노래방에 가면 이소라의 ‘나를 사랑하지 않는 그대에게’를 불러주기도 했다.

- 실연에는 이 노래 가사만큼 정신 확 들게 하는 것이 없다니까?

마이크를 턱 밑에 딱 부치고, 소프라노 창법으로 노래를 부르는 성란을 귀엽다는 듯 쳐다보곤 했다. 여자에게 성란은 어떤 존재인가? 대체적으로 믿을만한 담벼락이었다. 시간이 흐를수록 여자는 위로 일색인 말들에 지쳐갔다. 말의 이면에 장식처럼 매달린 뜻을 해석하고 가늠하는 일에 진절머리가 났다. 메타포 없이 깔끔하게 치고 들어오는 생생한 말의 위력을, 그 죽일 놈의 연애가 끝나고 난 후 성란이라는 담벼락에 기대어 서서 새삼 실감하곤 했다.

그러고 싶지 않아도, 세상의 다양한 소리에 민감하게 반응하게 되는 나이였다. 하다못해 열어놓은 창문으로 들어온 바람이 블라인드를 두드리는 소리, 거금을 들여 사준 황토 침대를 마다하고 거실 소파에서 -늦게까지 귀가하지 않는 딸을 기다리다- 쭈그려 주무시던 엄마의 코 고는 소리에도 여자의 감정은 사시나무처럼 흔들렸다.

여자는 자신을 둘러싼 수많은 '소리'로 상처 입었다. 하지만, 여자에게 있어 성란의 투덜거림만큼은 예외였다.

*

여자와 성란은 고등학교 동창이었다. 고등학교 때는 같이 어울리는 다른 친구들에 치여 그럭저럭 지내다가 대학을 입학하면서부터 속내를 터놓는 사이로 발전했다. 그 외에 어울려 지내던 희연, 우영, 민하가 있었다.

긴 생머리에 청순했던, 무리 중에서 상대적으로 말수가 적었던 희연과는 학창 시절 내내 죽이 잘 맞는 편이었지만 그녀가 대학도 졸업 못하고 재미교포 사업가와 결혼해 미국에서 살게 된 이후로는 연락이 뜸해졌다.

괄괄한 성격의 우영은 아들 둘, 딸 하나를 둔 어엿한 화장품 판매원이 되었다. 가끔 우영은 신상품이 나올 때마다 여자에게 안부 전화를 걸어왔다. 여자는 우영과 통화하는 날이면, 친구와 통화를 하는 건지 화장품 판매원과 통화를 하는 건지 헛갈렸지만, 때가 되면 신상품을 구입하며 우영과의 관계를 이어왔다.

학창 시절 내내 오총사로 불리던 그들은 졸업 이후, 단 한차례도 다 같이 만난 적이 없었다. 결혼식의 첫 스타트를 끊은 희연의 한국 결혼식만큼은 예외가 되리라 생각했다. 한국과 미국을 오가며 성대한 결혼식이 열렸다. 보스턴 외곽의 교회에서 열렸던 희연의 결혼식에는, 당시 비즈니스 차 미국에 체류 중이던 여자만이 참석했다. 희연은 여자에게 축가를 부탁했지만, 여자는 여러 이유를 들어 거절했다. 축가는 희연의 신랑인 스티브의 여동생이 불렀다. 제목은 휘트니 휴스턴의 'I will always love you'였다.

그런 와중에 누구도 민하의 이름을 입에 올리지 않았다. 스물다섯 살의 봄에 당시 살고 있던 자취방에서 목을 맨 민하의 이름을 그 누구도 입에 올리지 않게 된 건, 그녀가 죽은 지 열흘 만에 우편함에 고지서가 밖으로 흘러나올 정도로 꽂혀 있는 걸 수상하게 여긴 옆집 사람의 신고로 발견되었기 때문이다. 장례식에서 각자 나름대로 민하와의 추억을 떠올리며 죄책감을 줄여보려 애썼지만, 결국 누구도 그 이름을 차마 입에 올리지 못했다.

하지만 민하는 그들 중 누군가가 자신을 그리워하고 있음을 자각할 때면 찾아오곤 했다. 희연의 결혼식에서는 백옥같이 하얀 드레스를 입은 그녀의 옆자리에 앉아 러넌큘러스로 만든 부케를 쓰다듬었고, 성란이 몇 주 동안 지속되던 철야로 급기야 하혈을 하면서 쓰러졌을 때는 병실에 누워 있던 그녀의 거무죽죽한 눈꺼풀을 쓸어내렸다.

여자는 간혹, 아니 자주 민하의 존재감을 느꼈다. 혼자 방 안에 앉아 죽은 듯이 모니터를 노려보고 있을 때마다, 목덜미를 훑고 지나가는 서슬 퍼런 기운에 흠뜩 뒤돌아보곤 했다. 어둠이 고여 있는 자리를 바라보면서, 그곳에 민하가 머물고 있음을 확신했다. 사실, 모두들 터놓고 이야기하지 않았지만 삶의 어느 순간에 민하의 존재를 느꼈다.

*

여자가 수도권에 있는 디자인학과를 졸업하던 해였다. 동아리 활동으로 가볍게 시작했던 일이 우연찮게 잘 풀리면서 전공과는 무관한 일을 시작하게 되었다. 다행인 것은, 졸업 이후의 삶에 대해 줄곧 확신이 없었던 자신에게 기회를 준 사람이 당시 짝사랑했던 대학교 선배라는 점이었다.

선배는 몇 년 후 그 일을 그만두고 어느덧 토끼 같은 아이와 여우 같은 아내를 둔 아저씨가 되었다. 그러나 여자는 계속해서 일을 해나갔다. 생각했던 것보다 이 일이 자신과 잘 맞는다는 사실을 깨달았던 데다, 많은 사람들이 여자에게 이 일에 관해서라면 천부적인 재능이 있다고까지 했다. 대체적으로 납득하기 어려웠지만, 그녀가 이 일을 통해 이룬 결과들이 그러한 사실을 증명해 주고 있었다.

성란은 오총사 중에서 가장 공부를 잘했지만, 고등학교 졸업과 동시에 가족 뒷바라지를 위해 취업을 했다. 뒤늦게 사이버대학의 경영학과를 졸업했지만, 그녀의 업무는 상업고등학교 졸업과 동시에 그녀가 배정받았던 업무의 연장선상일 뿐이었다. 따지고 보면, 성란과 여자는 공통점이라고 할 만한 것이 없었다.

하지만 여자는 때가 되면 성란을 찾아갔다. 딱히, 그녀에게 무언가를 얻기 위해서가 아니었다. 주로, 성란이 수다스럽게 떠들었고 여자는 묵묵히 들어주는 편이었다. 성란 쪽에서 자신의 신세를 하소연할 때가 더 많았다. 걸핏하면 학력을 들먹이는 상사, 두 눈 부릅뜨고 대드는 어린 직원들, 경제적으로 무능한 남편에 대한 이야기였다.

하지만, 여자는 오늘따라 성란보다 많이 말하고 싶었다. 죽이 되든 밥이 되든 쏟아내고 싶었다.

"성란아."

여자는 갈아 끼운 불판에 두툼한 등심을 올리던 성란의 기름진 입술을 바라보았다.

"그렇게 맛있냐?"

성란이 히죽 웃었다.

"둘이 먹다 하나가 죽어도 모를 등심이걸랑?"

"그래, 등심. 등심만큼 입안에서 살살 녹는 고기가 없지."

그때, 고깃집의 입구 문이 열리며 대학생들이 무리 지어 들어왔다. 차가운 바람이 실내로 떠밀려 들어왔다. 선두에 선 남학생의 머리가 바짝 깎여 있는 걸로 보아 군대 환송회 자리인 듯했다.

문득, 여자의 시선이 계산대 옆에 내걸린 프로젝션 텔레비전을 향했다. 그 결에 술기운이 올라 홧홧해진 뺨을 쓸어내리던 성란까지 여자의 시선을 자연스레 쫓아갔다. 케이블 방송 채널 속 낯익은

MC 한 명이 패널 두 명과 함께 가수 이소라의 실종에 대해 이야기하고 있었다. 그러고 보니, 데뷔 30주년을 맞아 10집을 발매하고 막 활동 기에 접어들었던 이소라가 예정되어 있던 방송을 펑크 내고 사라진 지 한 달이 지나가고 있었다.

*

소파 위에서 잠이 든 여자를 흔들어 깨운 것은 K였다. 어깨까지 떨어지는 여자의 머리카락은 정수리 부분부터 염색이 빠져 있었다. 감지 않은 머리카락을 개의치 않고 매만지는 남자의 손길이 낯선 나머지 여자는 슬쩍 몸을 뺐다. K는 고른 이를 드러내며 웃었다.

여자는 작업을 하는 동안만큼은 따로 외모를 꾸미지 않았다. 머리를 자른다거나, 염색을 하다던가, 신상에 변화를 주는 행위를 하면 무리 없이 진행되던 일도 어그러지는 징크스가 있었다. 그것은 K 역시도 잘 알고 있었다. 여자는 끈끈하게 잠이 묻은 얼굴로 불쑥 자신을 찾아온 K를 노려보았다.

"바쁘다고 했을 텐데, 오늘은 혼자 있고 싶다니까."

여자의 목소리가 느릿느릿 목구멍을 타고 흘러나왔다. K는 여자의 날선 반응에 뾰로통하게 입술을 내밀었다.

"엄청나게 춥지만, 이상하게 바람 한 점 불지 않는 고고한 밤이어서요. 누나. 스케이트 타러 가요. 영화 〈이터널 선샤인〉의 케이트 윈슬렛처럼 한밤의 소풍 가고 싶다고 했잖아. 오늘은 내가 짐캐리 할게요!"

이 업계에서 나름 잔뼈가 굵었다고 자부하는 K는 즉흥적인 구석이 있었다. 머리도 감지 못한 여자에게 털모자를 덜렁 씌우는 것만 봐도 알 수 있다. 여자는 그의 손길에 이끌려 이주 만에 바깥바람을 쐬었다. 밤바람은 제법 찼다. 곤두선 신경만큼이나, 모든 죽어가는 감각이 벌떡 일어날 것처럼.

그들을 태운 차는 도심의 외곽 지역으로 거침없이 나아갔다. K가 무리 없이 운전하는 동안 여자는 쏟아지는 잠을 주체하지 못한 나머지 꾸벅꾸벅 졸았다. 시내를 빠져나오는데 채 한 시간이 걸리지 않을 정도로 한밤의 도로는 한산했다.

K와 여자가 도착한 곳은 양주에 있는 저수지였다. 차에서 내린 K가 저편을 향해 '야-호'라고 외쳤다. 고요한 저수지를 가로질러 거침없이 반대편까지 날아간 소리가 메아리가 되어 되돌아왔다. 달빛을 받은 얼음 표면이 교교하게 빛났다.

"도대체, 여긴 어디야?"

"얼마 전에 친구들이랑 놀러 간다고 했잖아요. 근처에서 숙박을 했는데, 산책을 나왔다가 우연히 발견했죠. 그때 생각했지. 와, 여기 얼어붙으면 정말 예술이겠다."

K는 여자의 손을 덥석 잡아끌었다. 뭘 망설이고 있어? 서두르라는 눈빛이었다.

"얼음이 갈라져버리면 어쩌려고?"

"꽝꽝 얼어붙었거든요? 우리 두 사람의 무게쯤은 거뜬히 감당할 거예요. 그나저나 누나는 알면 알수록 재밌는 사람이네. 생각과는 달리 이생에 대한 미련이 많으신 걸 보니."

여자의 눈이 가느다랗게 변했다.

"마음을 말하는 거야. 얼음처럼 쪼개질까 봐 그래. 풍덩 빠져버릴 까봐 겁이 난다고."

"이왕 이렇게 된 거 두 손 꼭 잡고 잠수나 해버리죠 뭐."

K는 능숙하게 발을 구르며 저수지의 중심을 향해 나아갔다. 여자 역시 그를 쫓아 조금씩, 아주 조금씩 걸음을 옮겼다. 부드럽게 밀리는가 싶던 순간, 여자는 어처구니없이 엉덩방아를 찧어버렸다. 미간을 일그러뜨리며 엉덩이를 문지르는 여자를 바라보던 K가 파핫, 하고 웃음을 터뜨렸다. 웃음은 어느덧 무방비의 여자를 전염시켰다. 두 사람의 웃음소리가 공기를 가르고 쩡쩡 울려 퍼졌다.

K는 대자로 누워버린 여자 옆으로 슬그머니 다가갔다. 두 사람

이 만들어낸 들숨과 날숨이 허공으로 새하얗게 흩어졌다. 문득, 여자는 이 밤과 이 상황 모든 것이 완벽하게 아름답다고 생각했다. 그러다가 문득 밤공기보다 한 단계 더 낮은 시린 한기를 느꼈다. 꽁꽁 둘러맨 목도리 속으로 전해지는 스산한 기운에 힐긋 옆을 돌아보았다. 순간적으로 불어온 바람에 바짝 마른 갈대숲이 우수수 몸을 떨었다. K가 한껏 움츠러든 여자를 안아주었고, 예기치 않은 순간 그의 입술이 여자의 이마에 닿았다.

굿 타이밍! 여자는 속으로 그렇게 외쳤다. 그러다 두 발 아래, 수심을 알 수 없는 저수지가 잠들어 있다고 생각하니 묘한 기분이 들었다. 밤하늘에는 손톱을 자른 것 같은 달이 떠 있었다. 여자는 달을 한참동안 바라보다 즉흥적으로 노래를 흥얼거리기 시작했다.

*

"그 순간, 가슴이 터질 것 같았지."

여자의 이야기를 듣던 성란은 길게 하품을 했다.

"그 연하 놈이랑 어떻게 됐더라."

"헤어졌지. 좋은 시절은 그리 오래가지 않더라고."

K와의 좋은 시절은, 꽃이 피고 지는 것처럼 짧았다. 화양연화

라고 불러도 좋을, 그때만큼은 제대로 된 연애를 하고 있다고 생각했다.

"그나저나 그 이후에, 잠깐 만났던 그 사람은?"

"누구?"

"다짜고짜 반지 줬다는 남자 있잖아. 결혼하고 싶다고."

"아, 그놈?"

그런 얼뜨기 같은 남자가 있긴 했다. 6년이나 사귄 여자 친구도 있는 주제에, 양다리를 걸치면서 애매하게 저울질하다 결국 임신했다고 말하는 여자 친구를 버릴 수 없다며 눈물의 이별식을 거행했다.

"그뿐이냐? 헤어지고 나서 선물로 사준 명품 가방 할부 값 밀렸다고 청구서 요청했다던 그 남자는?"

질문을 던진 성란은 그 사이 한 쌈 제대로 싼 등심을 입에 욱여넣고 있었다. 성란은 먹성만큼이나 기억력이 좋았다. 여자는 헤어지는 마당에 가방 값까지 들먹이던 녀석에게 계좌번호를 부르라고 했다. 그러고는 딱 절반 값만 입금했다. 그리고 '절반은, 네 실수다'라는 요지로 메시지를 보냈다. 헤어지는 데 일방적인 한 사람의 잘못이 있을 수만은 없다는 생각에서였다.

문득 돌이켜 생각하니, 저수지를 갔던 날만큼 가슴 설렌 감정을 느껴본 적이 언제였던가 싶어 살짝 억울한 기분이 들었다. K는 한동안 술을 마신 날이면 전화를 걸어왔다. 그 짓도 한때였다. 그는 이후 또 한 명의 새로운 뮤즈를 만난 듯 보였으니까.

*

문득 여자는 많은 남자를 만났지만, 제대로 누군가를 사랑해본 적 없었던 것 같은 생각이 들었다. 그래서 추억은 다만 한 편의 시가 된 것만 같은 느낌, 그런 생각이 스멀스멀 여자의 목덜미를 타고 올라왔다. 여자는 무언가를 떨쳐내겠다는 듯 결연한 얼굴로 고개를 세차게 흔들었다.

그 바람에 테이블에 올려 두었던 핸드폰과 안경이 떨어졌다. 안경을 찾기 위해 테이블 아래로 고개를 기울인 사이, 옆 테이블에서 왁자하게 군 환송회를 하고 있던 무리 중, 선한 눈빛을 한 남자와 시선이 마주쳤다. 들어올 때부터 깨끗하게 민 단정한 두상이 강하게 와닿았던 터라, 부러 눈빛을 외면하지 않았다. 그는 쭈뼛쭈뼛 다가와 떨어진 여자의 핸드폰을 내밀었다.

"어쩌죠. 핸드폰 액정에 금이 갔네요."

앳된 얼굴과는 달리 목소리엔 깊은 울림이 담겨 있었다.

"아, 괜찮아요, 고맙습니다."

"실은 아까부터 쭉 낯이 익어서 그러는데, 실례가 안 된다면, 우리 어디에서 만난 적이 있을까요?"

남자는 술기운으로 달아오른 귓불을 매만지며 쭈뼛거렸다. 성란은 간신히 웃음을 참으며 남자와 여자를 번갈아 쳐다보았다.

"글쎄요. 제가 좀 흔한 얼굴이라 그런가. 평소 그런 말을 많이 듣긴 하지만, 전 그쪽이 초면이라서."

"아, 죄송합니다. 예전에 제가 알던 사람인가 싶어서요."

남자는 목례까지 꾸벅한 후 자신의 일행이 있는 자리로 서둘러 돌아갔다. 안경을 쓴 여자는 남자가 내민 자신의 핸드폰을 들여다보았다. 배경화면은 일 년 전, 오사카에 있는 도부쓰엔마에 역 앞에서 일몰을 지켜보던 광경을 찍은 사진에 머물러 있었다.

문득, 여자는 성란에게 윤오에 대해 이야기가 하고 싶어졌다. 여자는 소주 한 병을 더 주문했다. 성란은 남은 소주잔을 비우며 말했다.

"너, 더 마시면 안 될 것 같은데?"

"난, 더 마셔야 할 것 같은데?"

여자는 빈 소주잔을 까딱거렸다. 성란은 어쩌겠냐는 얼굴로 술을 따랐다. 자신의 자리로 되돌아간 남학생은 친구들에게 귓속말로 무어라고 속삭였다. 여자는 안경을 쓰지 않은 채로 잔을 받았고 연거푸 두 잔을 더 들이켰다. 귀밑부터 천천히 달아오르는 기분, 여자는 조금만 더 취한 채로 있고 싶었다.

*

"깜빡 잠들었네요. 죄송합니다."

여자가 작업실 문을 열었을 때, 낯선 남자가 간이 소파에 기댄 채로 잠을 자고 있었다. 회사 측에 K를 대신할 엔지니어를 한 명 고용해달라고 말하긴 했다. 여자의 기척에 깨어난 남자는 쭈뼛쭈뼛 일어서서 자신의 이름을 윤오라고 소개했다. 그의 첫인상은 큰 키와 아무렇게나 뻗은 머리카락 때문인지 기다란 미루나무 같았다.

"휴, 이게 먼일이람."

여자는 감정을 숨길 수 있는 사람이 아니었다. 윤오의 검은 눈썹이 순간, 실룩거렸다.

"잠을 잤고, 또, 보시다시피 배가 고파서 탕비실에 있던 컵 라면 한 개를 좀 먹긴 했는데요. 그런데 약속을 어긴 건 그쪽 아닌가요? 오늘 볼 수 있을 것이라고 해서 무려 여섯 시간이나 기다렸는데요."

윤오는 검지손가락으로 시계를 가리켰다. 회사 측에 엔지니어를 요청한 건 여자였지만 따로 인터뷰 공지를 받은 적은 없었다. 경영 관리팀에게 전화를 걸었지만 통화가 되지 않았다.

"일할 사람이 필요하다고 말한 건 맞아요. 하지만 면접과 관련해서 연락받은 적이 없는데요. 오늘은 그만 돌아가 주실 수 있을까요? 죄송하긴 한데, 일정 재조정 후 다시 연락드릴게요."

여자의 목소리가 생기를 잃고 가라앉았다. 그도 그럴 것이 제주도에서 저녁 비행기로 급히 날아온 탓이었다. 다음 날 오전 미팅만 아니었다면, 하루 정도 더 제주도에서 머물렀을 것이다. 호텔 창밖에서 들려오는 파도 소리에 무언가가 떠올랐다가 가라앉길 반복했기 때문이다. 그 감정에 귀 기울일 시간이 필요했다.

"제가 오늘이 아니면 곤란해서요. 일정 상 무조건 오늘 인터뷰를 하고 가야만 해요. 대표님의 정식적인 요청을 받아서 여기까지 온 거고, 그쪽에 대한 나름의 신뢰가 있어 다른 좋은 자리 마다하고 여기까지 온 것인 만큼 양해 부탁드립니다."

평소의 컨디션이라면 그를 집으로 돌려보내야 했지만 상대방은 쉽게 물러설 기미를 보이지 않았다. 엔지니어 자리에 자신을 뽑아주지 않는 이상, 작업실에서 한 발자국도 나가지 않겠다는 결연함이 엿보였으니까.

대답을 하는 내내 윤오는 여자의 눈을 똑바로 응시했다. 외려 그 눈을 똑바로 쳐다보지 못하는 쪽은 여자였다. 그들은 서로를 주시한 채 한참 동안 서 있었다. 그러다 고개를 먼저 돌린 쪽은 여자였다.

그 순간이었다.

여자는 지금도 그 순간을 떠올리면, 그때 좀 더 단호하게 행동했어야 했다고 생각하게 된다. 여자는 항상 착한 눈매를 가진 사람에게 약했다. 착한 사람은 어딘가 항상 모자라 보인다. 하지만 그 모자람이 여자의 가장 연약한 부분을 건드렸다.

매 순간 관계에서, 후회가 전혀 남지 않는 선택은 없었다. 윤오는 결국, 엔지니어 자리를 확답 받고 나서야 돌아갔다. 여자는 결정을 재고해볼 틈도 없이 윤오가 방금까지 쓰러져 잠을 잤던 소파 위로 널브러졌다. 귓가에서 전에 들어본 적이 없는 소리가 들려왔다. 솨솨솨. 그것은 바람 소리였다. 긴장이 풀린 여자는 깊은 수면 속으로 다이빙하기 전 중얼거렸다.

어디서 불어오는 거야. 이 몹쓸 바람아….

*

보름 후 윤오는 차기 프로젝트를 준비하는 여자와 함께 일을 시작했다. 그즈음 여자는 뜻대로 되지 않을 때마다 잠수를 탔다. 더 이상 이 일을 해나갈 에너지가 남아 있지 않다는 불안함이 가장 컸다. 꺼놓았던 스마트폰을 켜면, 윤오가 남긴 음성메시지가 도착해 있었다. 다행히 회사 측에서는 여자를 배려해 주었다. 여자의 행동이 대체적으로 옳지 않다는 것을 알면서도, 오랜 세월 함께 해온 대표는 딱히 뾰족한 수가 없었다.

한동안 주인에게 길들여진 반려견처럼 작업실에만 머물러 있다가, 일본으로 떠나기 위해 짐을 꾸리던 그날도 마찬가지였다. 떠나기로 마음먹은 순간, 여자는 모든 것을 깨끗이 정리할 마음이었다. 더 이상 이 일을 해나갈 수 있을 것 같지가 않았다. 누구에게도 알리지 않겠다는 결연한 의지를 원동력 삼아 오른 오사카행 비행기 안에서 거짓말처럼 윤오를 만났다. 여자의 두 눈은 커졌지만, 윤오는 의뭉스레 손을 흔들 뿐이었다. 그렇게 여자와 윤오는 오사카의 간사이공항에 나란히 도착했다.

7월의 무더운 여름이었다. 비행기를 타고 한 시간을 날아왔을 뿐인데도, 여자는 완벽한 해방감에 젖어 있었다. 이제 모든 것을 완벽하게 끝내도 좋을 것 같다는 생각이 들었다. 하지만 그 순간도 잠시였다. 자동 출입문이 열리고 짭조름한 소금 냄새와 함께 눈을 찌를 듯 강렬히 내리쬐는 햇볕에 아득함을 느낀 후였다. 북적

거리는 인파, 낯선 언어, 이 모든 것은 여자가 이전의 도시에서 보고 느꼈던 혼란스러움과 맞닿아 있었다. 여자는 현기증을 느꼈고, 그만 바닥에 주저앉았다. 쪼그린 채 숨을 고르는 여자에게 달려온 건 윤오였다.

"괜찮아요? 일어날 수 있겠어요?"

"이제 막 도착했는데, 시작부터 괜찮아야 할 이유가 있어요? 그나저나 여긴 어쩐 일이에요? 젠장, 당신 스토커에요?"

스토커라는 말에 윤오는 한걸음 물러섰다.

"모르겠어요. 우연이라고 밖에는 설명이 안돼요. 내내 당신이 이상스러울 정도로 걱정됐던 건 맞아요. 하지만 저 역시 여행이었어요. 그뿐이에요."

"민감하게 굴었다면 미안해요. 자, 이제 그쪽 갈 길이나 가시죠."

"오늘만 함께해요. 그쪽 가는 길이, 어쩐지 제가 가야 할 길 같기도 해서."

"적당히 해. 수작 거는 게 아니라면."

"당신은 중요한 순간에 꼭 그런 말투 속으로 도망가 버리더군요. 그나저나 머리는 왜 이렇게 짧게 자른 거예요?"

여자는 도대체 그런 것들이 왜 궁금하냐고 윤오에게 되묻고 싶었다. 하지만 여자는 그 질문에 어떤 식으로든 대답하고 싶었다. 사소하다 못해 시시콜콜한 이야기라고 핀잔을 듣는데도 상관없었다. 여자는 원래부터 하고 싶은 말이 너무 많았지만, 종내는 아무 말도 하지 못하고 돌아서는 타입이었다.

"헤어숍에 갔어요. 처음엔 조금만 다듬으려고 했죠. 잡지책 보는 것도 지겨워서 창밖으로 눈길을 주었는데, 글쎄…. 노을이 지고 있더라고요. 실내는 에어컨 한기 때문에 정수리까지 시릴 지경이었지만 바깥은 뜨거운 열기를 품은 양은 냄비 같았어요. 그때, 다른 직원분께 머리를 하고 있던 한 여자 손님의 말소리가 조곤조곤 들려왔어요. 타고날 정도로 머릿결이 좋은 데다 허리까지 올 정도로 제법 긴 머리였는데, 최대한 짧게 자르겠다고 말하는 거예요. 순간, 디자이너가 긴 머리가 너무 잘 어울리는데 자르려고 하는 이유라도 있는 거냐고 묻더군요. 그런데 여자가 이렇게 대답하는 거예요. 사랑하는 사람과 3년 전에 헤어졌다고요. 그 뒤로 다듬지도 않은 채로 방치했다고 그랬나, 아무튼 이제 그만 모든 걸 놓아주고 싶다고 말하더라고요."

윤오는 처음에는 고개를 갸웃거렸지만 이내 무언가 알 것 같은 표정을 지었다.

"윤오 씨는 남자라서 잘 모르겠지만, 긴 머리를 정리하는 일은 의외로 간단해요. 노란 고무줄로 질끈 묶고 재단 가위처럼 생긴 커다란 가위로 싹둑 머리칼을 잘라내면 그만이니까."

"그런데, 그것이 당신이 머리 자른 이유랑 무슨 상관인거죠?"

윤오가 호기심 가득한 눈빛으로 되물었다.

"그 여자한테는 마치 몸의 일부를 잘라내는 일과 다름없었을 거예요. 그런데 커트를 마친 여자가 그러는 거예요. 아, 진짜 속 시원하다고."

그 말은 여자의 귓가에 사이다의 기포처럼 탱글탱글 튀어 올랐다가 가라앉았다. 여자는 문득 그 느낌을 자기도 한 번 갖고 싶다고 생각했다. 담당 헤어디자이너가 여자의 머리카락을 다듬기 시작했지만, 다듬는 정도로는 절대 그 느낌을 감각할 수 없겠다는 생각이 들었다. 여자는 평소에도 헤어디자이너에게 많은 것을 요구하는 편이었고, 그날도 까다롭게 굴긴 마찬가지였다. 그러다 보니 어깨를 넘어선 머리카락은 어느덧 쇼트커트가 되어 있었다.

*

여자는 윤오와의 일화를 이야기하던 중, 자신이 쓰고 있던 베레모를 벗어던졌다. 그때부터 줄곧 쇼트커트였던 머리를 최근에 더욱 짧게 자른 상태였다. 그런 와중에도 케이블 텔레비전에서는 지속적으로 이소라의 실종에 관한 뉴스를 내보내고 있었다. 방송 중간중간 케이블 광고가 끼어들었다. 다 끝난 줄만 알았는데, 광고가 끝나고 난 후 카메라는 경기도 인근에 있는 이소라의 집 풍경을 담아내고 있었다.

과장된 목소리의 리포터는 이웃 주민들을 상대로 탐문 인터뷰를 하고 있었다. 대부분의 사람들은 워낙 평소에도 그 집 사람들은 외부 사람과는 거의 교류하지 않기 때문에 이소라가 실종된지도 모르는 눈치였다. 이소라는 생각보다 좋은 집에 살고 있었다. 뜬금없이 공인중개사가 출현해 이소라 집의 실 평수와 가격대를 산출했다. 그 대목에서 성란이 웃음을 터뜨렸다.

"가수 한 명 없어졌다고 세상이 참 떠들썩하구나."

"그러게. 살다 보면 사람 한 명, 내 인생에서 사라지는 것쯤은 일도 아닌데 말이야."

여자는 한참 전부터 배가 불렀다. 더 이상 무언가를 먹을 수 없을 정도의 포만감이 나른하게 여자를 감싸 안았다.

"성란아. 윤오 말이야."

"어, 윤오 씨. 근데, 너 윤오 씨랑 만난 지 얼마나 됐지?"

"이제 이 년쯤 됐나?"

윤오와 연애하고 있는 사실을 어느 순간부터 덤덤하게 말하는 여자를 성란은 종종 신기하게 생각하곤 했다. 성란은 종종 그가 너무 평범하다고 말했다. 그러면 여자가 대답했다. 벗겨 놓고 보면 너나 나나 평범해. 발가벗고 거울 들여다본 적 있지? 성란은 당연한 거 아니냐고 고개를 끄덕거렸다. 가끔 샤워를 하고 거울 속 내 몸을 하릴없이 쳐다보고 있으면, 끔찍할 정도로 평범하다는 생각이 든다고 중얼거렸다.

여자는 윤오와 만나고 난 이후부터 종종 성란에게 전화를 걸었다. 통화 가능하냐고. 졸음이 잔뜩 묻은 목소리로 왜,라고 성란이 볼멘소리를 하면 여자는 말했다. 깨워서 미안하다고. 그러고는 나직이 읊조렸다. 나도 모르겠어. 윤오의 진짜 마음을. 그러면 하품이 덕지덕지 묻은 목소리로 성란이 대답했다. 세상에 진짜가 어딨니? 진짜가 되려고 노력하는 가짜가 판을 칠뿐이지. 하물며, 종잡을 수 없는 사람 마음이라는 것도 그런 거 아니겠어?

*

여자와 윤오는 오사카의 토부쓰엔마에 역 근처에 있는 빌라를 임대해 두 달 정도를 같이 살았다. 방 두 칸에 거실을 공유했다. 매일 같이 근처에 있는 덴노지 공원으로 가서 자전거를 탔고, 배가 고프면 역 앞에 있는 깜짝 놀랄 정도로 맛있다는 뜻의 비꾸리 라면을 먹었다. 필요한 물품이 생길 때마다 백엔 샵에 가서 물건을 구입했다.

방을 비우던 날이었다. 그들은 전날부터 계속해서 짐을 갖다버리고 있었다. 플라스틱 협탁, 플라스틱 식판, 플라스틱 휴지통. 플라스틱 컵을 무심히 바라보던 여자가 말했다.

"우리 그동안 플라스틱으로 소꿉놀이 했나 봐요. 나이 먹어서 이런 장난쳐도 되는 건가?"

"잘 버리는 것도 연습이 필요한 일이거든요."

순간 여자는 아무 말도 하지 못했다. 멀뚱한 눈으로 여자를 바라보던 윤오가 그제야 입을 열었다.

"도대체, 당신은 그동안 어떤 사람을 만나왔던 겁니까?"

"그냥, 이 물건들을 보니까 그런 생각이 들었던 것뿐이에요. 다른 뜻은 없어요."

"그래요. 보이는 대로 느끼는 게 중요해요. 제발 거추장스러운 의미 좀 갖다 붙이지 마요. 우리는 그저 필요 없어진 물건을 내다 버리는 일을 하는 것일 뿐이니까요."

윤오는 묵묵히 짐을 정리했다. 출입문을 잠그며 마지막으로 집

구석구석을 돌아보았다. 세간을 들여놓은 적이 단 한 번도 없었던 것처럼 말끔히 정리되어 있었다. 한국으로 돌아와서야 알게 됐다. 윤오는 며칠 휴가를 쓰기 위해 오사카에 왔다가 결국 회사에 사표까지 냈다는 것을.

*

여자는 입국한 즉시 대표를 만났다. 일본에서 머무는 동안, 여자가 마지막이라는 생각으로 준비했던 마지막 프로젝트를 런칭하기 위해서였다. 회사는 가능한 회사에 남아 계속해서 일을 해나가 주기를 바랐다. 하지만 여자는 망설였다. 주저하고 있는 자신이 이해가 되지 않을 정도였다. 여자는 중요한 결정을 하기 전에 윤오를 다시 만나야겠다고 생각했다.

윤오가 살고 있는 곳은 합정동에 있는 당인리발전소 근처의 빌라였다. 일본에서 돌아온 직 후, 한국의 계절은 가을로 성큼 다가가 있었다. 귀국 후, 한동안 윤오에게 연락을 하지 못했다. 다른 생각을 할 수 없게끔 새롭게 벌어지는 일들을 쳐내야 했기 때문이다. 틈틈이 여자는 윤오에게 메시지를 보내거나, 음성메시지를 남겼다. 특유의 어눌한데다 엉성하기 짝이 없는 말투로, 보고 싶다고 했다.

결국, 차 안에서 깜빡 잠이 들었던 여자는 홀로 잠에서 깨어났다. 목덜미에서 느껴지는 서늘한 입김 탓이었다. 또 너야. 여자는 눈을 뜨기 전부터 이미 민하를 떠올렸지만 부러 아무 말도 하지 않았다. 민하는 스스로 중요한 타이밍이라고 생각할 때마다 나타났다. 그러고는 중요한 순간이야, 얼른 일어나서 밖을 봐, 같은 신호를 보내왔다.

민하의 출현은, 여자가 이 일을 시작해 승승장구할 때 더 잦아졌다. '너라면 할 수 있을 거야. 괜찮아. 계속하라'는 메시지처럼 느껴질 때가 많았다. 하지만 언젠가부터 그 신호의 세기가 흐려지고 있었다. 민하는 여자와 친구들의 기억 속에서 점점 더 잊혀져 가고 있었다.

윤오의 집으로 짐작되는 2층은 여전히 캄캄했다. 오늘은 네 예감이 틀린 것 같네. 여자가 한숨을 쉬면서 차를 후진시켰을 때, 사이드미러를 통해 골목길을 뚜벅뚜벅 걸어오는 윤오의 모습이 보였다. 차에서 내린 여자와 눈이 마주쳤지만 윤오는 눈길조차 주지 않았다. 그의 손에는 편의점 봉투가 들려져 있었다. 보지 않아도 그것이 하이네켄과 육포라는 것쯤은 알 수 있었다.

문득, 여자는 윤오를 안아주고 싶다는 생각이 들었다. 그리고 안았다. 아니, 안겼다. 윤오의 품이 넉넉하게 그녀를 붙안았다. 윤오가 아니라면, 여자는 앞으로 아무것도 할 수 없을 것 같은 생각이 들었다. 확신의 감정은 그렇게 쉽게 찾아왔다. 오랜 시간 동안, 여자는 여러 남자와 연애를 했지만 그런 종류의 확신을 가진 건 처음 있는 일이었다.

*

"결국, 윤오 씨 이야기를 하려고 부른 거군."

"그렇지. 윤오와 만나 연애한 얘기."

성란은 고개를 절레절레 흔들었다.

"이제 어쩔 건데? 너의 연애는 대체적으로 시작과 끝이 분명했잖아."

"그랬지. 그래서 프러포즈했어."

"뭐?"

성란은 소리를 바락 질렀다. 겨우 마음을 추스른 성란이 여자에게 스르륵 몸을 밀착해왔다.

"설마, 결혼하겠다는 건 아니지?"

"할 건데? 그리고 이제 돌아갈 거야."

여자는 분연한 얼굴로 소리쳤다.

“뭘, 돌아가. 진짜 떠나버리겠다는 거야, 뭐야?”

성란은 결정을 성급하게 할 필요가 있겠냐며 발을 동동 굴렀다.

“그래, 저 푸른 초원 위로. 사랑하는 나의 님과 그림 같은 집 짓고 살다가 죽어버릴래.”

여자는 스스로 이야기하고도 어이가 없었는지 ‘팟’하고 특유의 시그니처 웃음을 터트렸다. 안경도, 베레모도 훌훌 벗어던진 무장해제된 얼굴로 천천히 주변을 둘러보았다. 성란도 마찬가지로 술을 죽인 채 꼴딱꼴딱 침만 삼켰다. 그러나 대부분의 사람들은 타인의 일에 무감했다. 텔레비전은 다시 한번 이소라와 그의 남자 친구로 짐작되는 얼굴을 보여주었다.

“그나저나 저게 언제적이더라.”

“올해 초였지, 아마. 영국으로 여행 다녀온 직후였으니까.”

“가만 보니, 윤오 씨 얼굴 너무 구리게 나왔다.”

“이거 왜 이래? 내 눈엔 완전 잘생겼거든.”

성란은 입술을 삐쭉 내밀었다.

“그만 일어나자. 네가 사랑 앞에 이렇게 무너져 가고 있는 꼴은 더는 못 봐주겠다. 차라리 분연히 털고 일어나 노래를 부를 때가 멋졌어. 꼬박꼬박 언니라고 부르고 싶을 정도로.”

성란이 먼저 천천히 몸을 일으켰다. 테이블 위에는 빈 술병들이 폐허처럼 늘어서 있었다. 여자는 성란과 술값을 놓고 계산대 앞에서 신경전을 벌였다. 결국 술값은, 언제나처럼, 여자의 몫이었다.

*

여자가 계산을 하기 위해 포스기 앞에 섰을 때였다. 텔레비전 화면을 응시하고 있던 아르바이트생이 화면 속 여자와, 눈앞에 서 있는 여자를 번갈아보며 무슨 말인가를 하려는 제스처를 취했다. 붕어처럼 입술을 뻐끔거리다 말고 확성기를 켜듯 소리를 질렀다.

"어머 어머. 죄송하지만 이소라 씨 아니세요?"

"설마요. 그럴 리가요?"

여자는 문득 장난이 치고 싶었다.

"어. 아니세요? 사실 저는 BTS 팬인데, 슈가 오빠랑 신청곡이라는 노래 부르셨잖아요. 아닌가? 실은 우리 막내 이모가 이소라 씨 찐팬이에요. 이모가 있었으면 기절할 정도로 좋아했을 텐데."

자신의 이름도 소라라고 말해준 아르바이트생은 숫제 펜과 종이를 여자 앞으로 들이밀었다.

"아니래도 그러시네. 이소라는 보시다시피 실종됐잖아요."

"아, 그런가. 아닌데, 분명 이소라 씨가 맞는데."

가게 바깥에 서 있던 성란의 입술 사이에서 담배 연기가 무럭무럭 피어오르고 있었다. 성란은 담배를 쥔 손으로 허리까지 꺾어가며 웃고 있었다.

"설마, 연예인 처음 봐요?"

"그건 아니에요. 이 가게가 은근 연예인들이 자주 출몰하는 비밀 단골집으로 알려져 있어서요."

그러고 보니 이곳은 여자가 아는 몇몇 연예인들이 손꼽았던 곱창집이었다. 전혀 거리낌이 없는, 아르바이트생의 자연스러운 태도만 봐도 알 수 있다. 스무 살을 간신히 넘겼을까? 단발머리 아르바이트생의 시선을 따라 벽을 둘러봤다. 동률이가 왔었구나. 지찬이도 왔었고. 빼곡하게 들어찬 연예인의 친필 사인을 들여다보다가 문득, 처음이자 마지막으로-이제 곧 저 푸른 초원 위로 사랑하는 나의 님과 떠날 예정인-자신의 사인 한 장쯤 남겨도 좋겠다는 생각이 들었다.

여자는 아르바이트생의 종이를 받아들었다. 그리고 천천히 한자 한자 힘 있게 사인을 하기 시작했다. 아르바이트생은 그 사이 주문을 받느라 여자가 어떤 메시지를 적었는지조차 몰랐다.

-마음껏 사랑하세요. 사랑이 남는 장사입니다.

여자가 남긴 메시지는 결국, 급히 화장실을 갔다가 매출 외에 연예인의 '연'자도 관심이 없는, 오로지 30년이 넘는 시간 동안 '맛' 하나로 승부해온 사장님에 의해 간단히 쓰레기통으로 들어갔다.

한 여자가 사라졌다.

친구와 함께, 희미한 달이 뜬 밤의 어둠 속으로.

그리고 그 곱창집에는 이소라로 짐작되는 한 여자가 남겨 놓은 시시콜콜한 한 편의 사랑 이야기만 남게 됐다.

추천사

가장 아름다운 팬레터

소설가 전건우

1990년대를 생각하면 몇 가지 추억이 떠오른다. 리어카에서 팔던 불법 복제 카세트테이프, 워크맨과 이어폰, 편지지, 청춘 드라마, 농구, 라디오, 심야방송, 신해철과 김동률, 그리고 이소라.

단언하건대, 90년대는 다정한 우울과 평화로운 슬픔이 만개하던 시절이었다. 우리에게는 낭만이 있었다. 낭만이 있으니 희망 또한 여전했다. 낭만과 희망을 표현하기에는 음악만한 게 없었다. 90년대에 뛰어난 가수들이 속속 모습을 드러냈던 것은 아마 시대의 정서 때문이리라. 가수들은 낭만과 희망을 딛고 서서 우울과 슬픔을 노래했다. 신파가 여전히 위세를 떨치던 시절이었고, 그리하여 마음껏 우는 것 역시 허용되던 때였다.

수많은 가수 중에서도 이소라는 특별한 위치에 놓인 존재였다. 이소라 역시 사랑과 이별을 노래했지만 그 안에 깃든 슬픔의 정서는 어떤 가수와도 달랐고 감히 흉내 낼 수도 없었다. 나는 자주 이소라 노래를 들었다. 리어카에서 파는 카세트테이프를 워크맨에 넣고 '플레이'를 누를 때의 그 감촉을 아직 기억한다. 딸칵, 소리와 함께 카세트테이프가 돌아가면 몇 초 후 이소라, 그의 목소리가 들리던 그때를 아직, 추억한다.

『어떤, 소라』는 가수 이소라를 좋아하는 이들에게는 축복과도 같은 책이다. 특히 작가와 비슷한 시대를 살았던 사람들은 무릎을 칠만 한 대목이 많을 것이다. 작가는 어느 날 내게 '이소라에 관한 에세이'를 쓰겠노라고 말했다. 자신이 제일 좋아하는 가수라면서. 작가가 원체 글을 잘 쓰기에 걱정은 없었지만 이소라라는 현재진행형의 인물을 가지고 어떻게 에세이로 풀어낼지 무척 궁금하기는 했다.

제법 시간이 흐른 후 내 머릿속에서 작가와 나눈 대화가 잊힐 때쯤 그는 내게 전화를 해 수줍은 듯, 그러나 조금은 단단한 목소리로 에세이를 다 썼다고 말했다. 출판사와 계약이 되지도 않은 상황에서 매일 조금씩 무언가를 쓰면서 이소라에게 다가갔을 작가를 생각하니 괜히 가슴이 뭉클했다.

며칠 후에 나는 작가가 보내 준 완성 원고를 메일로 받았다. 누군가의 원고를 처음 읽을 때 나는 꽤 긴장한다. 내가 평론가의 시선이 아닌 독자의 시선으로 읽을 수 있기를 바라면서.

『어떤, 소라』는 긴장할 필요가 없었다. 아니, 처음에는 긴장했지만 프롤로그를 채 다 읽기도 전에 긴장은 스르르 풀렸고 나는 한 명의 독자가 되어 원고에서 눈을 떼지 못했다. 앉은 자리에서 끝까지 읽었고, 다음 날 또 읽었다. 그래도 재미있었고 나는 이 원고가 곧 세상의 빛을 받으리라는 확신을 품었다.

이 책에는 두 명의 여성이 등장한다. 작가 류예지와 가수 이소라. 작가는 이소라에 관해 설명하거나 그의 음악이 얼마나 감동적인지를 표현하는 대신, 전혀 다른 방법으로 이소라와의 접점을 만들어 낸다. 작가는 자신의 삶 곳곳에 영향을 미친 이소라의 노래와 그걸 들으며 성장해 나가는 한 여성의 추억담을 단단하고 야무진 문장으로 표현하는데 성공했다. 그러니까 『어떤, 소라』는 에세이인 동시에 이소라를 향한 가장 아름다운 팬레터인 것이다. 어떤 독자가 내게 "작가님 소설로 희망을 얻었어요!"라고 말해준다면 나는 그 기억을 평생 간직하리라. 이소라 역시 수많은 칭찬과 축복의 말을 들어왔겠지만 이렇게 길고 내밀하며 아름답기까지 한 팬레터가 있다는 사실은 모를 것이다. 부디 이소라가 『어떤, 소라』를 읽기 바란다.

이소라의 노래는 첫 소절을 듣는 즉시 빠져든다. 이 책도 마찬가지다. 작가의 성실한 문장과 감성적인 추억담은 첫 몇 페이지를 읽는 것만으로도 독자를 빠져들게 만든다. 나도 그중 한 명이었다. 작가가 성취해 낸 훌륭한 작품에 박수를 보낸다.

YouTube 출처

Again 가요톱10 : KBS KPOP Classic

https://www.youtube.com/watch?v=XwYfa51CnqI

https://www.youtube.com/watch?v=MGJhDK-3flw

KBS StarTV : 인물사전

https://www.youtube.com/watch?v=seeZ4Sjykt8

leesorafan

https://www.youtube.com/watch?v=xvlWzbepijw

Shinbeom Lee

https://www.youtube.com/watch?v=mb08fI5DXvE

https://www.youtube.com/watch?v=oqpNbO1ORh0

CS lee

https://www.youtube.com/watch?v=vpFKpHwgwnY

MBCkpop

https://www.youtube.com/watch?v=GUMIW2XGE8E

https://www.youtube.com/watch?v=Td0tP3fYoTY

KE LEE

https://www.youtube.com/watch?v=rSnHcsEnwm4&t=2653s

NEVERLAND K-CHANNEL

https://www.youtube.com/watch?v=4OuWBUlGiN4

시시콜콜한이야기

https://www.youtube.com/watch?v=_bpANfkwGfU&t=166s

펴낸 책들

공(KONG) 출판사는 오늘을 사는 당신의 이야기를 책으로 만듭니다.

『어떤, 실험』 최하나

일주일에 하루, 디지털 디톡스를 하며 아날로그 삶을 사는 기록을 담은 책

『어떤, 작가』 조영주

스스로 덕후라 칭하는 소설가 조영주가 전하는

솔직한 일상, 책 이야기

『어떤, 문장』 아거

시선이 머물렀던, 탐했던 문장에 대한 사유의 기록

『어떤, 낱말』 아거

낱말 안에 우련하게 보이는 삶의 일면에 대한 이야기

『어떤, 시집』 공가희

시가 어렵지만 다가가고 싶은 사람들에게 전하는 시

『어떤, 여행』 공가희

자체 안식년을 갖고 떠난 무계획 여행 에세이

『다한이 뭐하니』 이다한

한마디로 엉뚱하고 발랄하고 유쾌한 책

어떤, 소라

초판 1쇄 발행 2021년 1월 15일

지은이 류예지
펴낸이 공가희
편집 공가희

펴낸곳 KONG
등록 2018년 8월 31일(제2018-000019호)
email thekongs@naver.com
instagram @kong_books

ISBN 979-11-91169-01-0

* 책값은 뒤표지에 있습니다.
* 파손된 책은 구입한 서점에서 교환해 드립니다.